HARRAP

GUIDE DE CONVERSATION

Français-Russe

par
LEXUS
avec
Irina et Alistair MacLean

HARRAP

EDINBURGH   PARIS

First published in Great Britain 1990
by HARRAP BOOKS LTD
43–45 Annandale Street,
Edinburgh EH7 4AZ

ISBN 0 245-50103-7

Reprinted 1990, 1992, 1994

Printed in England by Clays Ltd, St Ives plc

TABLE DES MATIERES

L'ALPHABET RUSSE OU CYRILLIQUE

		nom russe	prononciation
А	a	*a*	a (comme dans 'dame')
Б	б	*bè*	b
В	в	*vè*	v
Г	г	*guè*	g ou v
Д	д	*dè*	d
Е	е	*yè*	soit yè (comme 'yais' dans 'voyais' ou è (comme dans 'mère')
Ё	ё	*yo*	yo (comme dans 'yoga')
Ж	ж	*jè*	comme 'j' dans 'joli'
З	з	*zè*	z
И	и	*i*	i
Й	й	*i kratkoyè*	i (mais généralement mouillé)
К	к	*ka*	k
Л	л	*èle*	l
М	м	*ème*	m
Н	н	*ène*	n
О	о	*o*	o (comme dans 'bol') ou a (dans 'bal')
П	п	*pè*	p
Р	р	*ère*	r
С	с	*esse*	s
Т	т	*tè*	t
У	у	*ou*	ou (comme dans 'boule')
Ф	ф	*èfe*	f
Х	х	*Ra*	comme le 'ch' de 'Bach'
Ц	ц	*tsè*	ts (comme 'mouche tsé-tsé')
Ч	ч	*tchè*	tch (comme dans 'tchèque')
Ш	ш	*cha*	ch (comme dans 'chaud')
Щ	щ	*cha*	ch
.	ъ	*tviordi znak*	muet
.	ы	*iy*	i
.	ь	*miaRki znak*	muet
Э	э	*è*	è (comme dans 'mère')
Ю	ю	*you*	you (comme dans 'youpi!')
Я	я	*ya*	ya (comme dans 'yaourt')

Les expressions et les phrases données dans ce guide actuel vous permettront de vous exprimer lors de votre séjour en Russie. Chaque rubrique se compose d'un vocabulaire de base, d'une sélection de phrases utiles ainsi que d'une liste de mots et d'expressions courantes que vous pourrez voir ou entendre en Russie (panneaux, renseignements, indications, directions etc.). Vous pourrez bien vous faire comprendre grâce aux indications très simples de prononciation spécialement adaptées pour les lecteurs français.

Ce guide vous propose un mini-dictionnaire français-russe et russe-français comportant, en tout, près de 5000 termes contemporains. Vous pourrez ainsi, en vous aidant des phrases données, converser plus librement et établir des contacts plus intéressants avec les habitants.

Les plaisirs de la table n'ont pas été oubliés, en effet la rubrique "La Cuisine Russe" vous donne une liste complète de plats typiques russes (200 environ) expliqués en français.

Ce guide comporte aussi deux rubriques inédites ; une sur les expressions familières et une autre qui vous fournira des informations touristiques sur la Russie.

Nous vous souhaitons donc :

желаем удачи!
jèlayème voulatchi !
bonne chance !

et

счастливого пути!
chastlivava pouti!
bon voyage !

5

PRONONCIATION

Le système de prononciation des phrases données en russe dans ce guide utilise la prononciation du français pour reproduire les sons de la langue russe. Si vous lisez la prononciation de la même manière que les mots français, vous pourrez vous faire comprendre par un Russe.

Dans le mini-dictionnaire français-russe, les traductions ont été données dans une forme romanisée pour que vous puissiez les lire directement sans avoir recours à l'alphabet cyrillique.

A noter :

â se prononce comme dans 'pâle'
aille se prononce comme dans 'maille'
ille se prononce comme dans 'fille'
ô se prononce comme le o long de 'pôle'
R se prononce comme un 'r' venant du fond de la gorge, comme le 'ch' dans 'Bach'

Lorsque les lettres ou les syllabes sont données en caractères gras, il faut les prononcer de manière plus accentuée.

Dans le mini-dictionnaire russe-français, nous avons ajouté un guide spécial de prononciation en haut de chaque page de gauche. Celui-ci vous donnera la prononciation des lettres qui diffèrent de leur équivalent romain, ainsi que de combinaisons particulières de lettres. L'alphabet russe (ou cyrillique) complet est donné à la page 4.

VOCABULAIRE DE BASE

bonjour
здравствуйте
zdraste-voutiè

bonjour (*le matin*)
доброе утро
dôbroyè outra

salut (*bonjour*)
привет
priviète

salut (*au revoir*)
пока
paka

bonsoir
добрый вечер
dôbri vètchère

bonne nuit
спокойной ночи
spakoïnoï notchi

enchanté
приятно познакомиться
priyatna paznakômitsa

au revoir
до свидания
dasse-vidania

à la prochaine
до скорого
da skôrava

oui
да
dâ

VOCABULAIRE DE BASE

non
нет
niète

oui, volontiers
да, пожалуйста
dâ, pajâlsta

non merci
нет, спасибо
niète, spassiba

s'il vous plaît
пожалуйста
pajâlsta

merci
спасибо
spassiba

merci beaucoup
большое спасибо
balchoyè spassiba

il n'y a pas de quoi
не за что
niè za chtô

excusez-moi
извините
izvinitiè

comment ?
что?
chtô?

comment allez-vous ?
как дела?
kak dièla?

très bien merci
спасибо, хорошо
spassiba, Rarachô

et vous-même ?
а у вас?
a ou vasse?

VOCABULAIRE DE BASE

pardon, Monsieur/Madame
простите
prastitiè

combien est-ce que ça coûte ?
сколько это стоит?
skolka èta stô-ite?

je peux ... ?
можно ...?
môje-na?

je voudrais ...
я хотел (*m*)/хотела (*f*) бы ...
ya Ratièle/Ratièla bi ...

j'aimerais ...
я хотел (*m*)/хотела (*f*) бы ...
ya Ratièle/Ratièla bi ...

où est ... ?
где ...?
gdié ...?

ce n'est pas ...
это не ...
èta niè ...

c'est ... ?
это ...?
èta ...?

y a-t-il ... ici ?
есть ли ... здесь?
yèste li ... zdièsse?

pourriez-vous répéter ?
повторите, пожалуйста
pvvturitiè, pajâlsta

pourriez-vous l'écrire ?
вы можете написать это?
vi môjitiè napissate èta?

pourriez-vous parler plus lentement ?
пожалуйста, говорите медленнее
pajâlsta, gavaritiè miède-lènié

VOCABULAIRE DE BASE

je ne comprends pas
я не понимаю
ya niè panimayou

d'accord
ладно
ladna

allons-y !
пойдёмте!
païdiome-tiè!

comment ça s'appelle en russe ?
как это по-русски?
kak èta pa-rouski?

ça va très bien
прекрасно!
prèkrasna!

вход	entrée
вход бесплатный	entrée libre
выход	sortie
Ж - женский туалет	toilettes dames
закрыто	fermé
запрещено ...	... interdit
к себе	tirer
М	toilettes hommes; métro
мужской туалет	toilettes hommes
не курить	ne pas fumer
не разрешается ...	ne pas ...
нет входа	pas d'entrée
нет выхода	pas de sortie
не фотографировать	interdit de prendre des photos
осторожно, окрашено!	attention peinture fraîche !
открыто	ouvert
от себя	pousser
посторонним вход воспрещён	entrée interdite pour le personnel non autorisé
просьба не....	prière de ne pas ...
туалет	toilettes

aéroport	аэропорт *aèraporte*
avion	самолёт *samale-yote*
bagages	багаж *bagaje*
car	междугородный автобус *mièje-dougaródni ave-tôbousse*
couchette	спальное место *spalnoyè mièsta*
gare	вокзал *vak-zal*
port	порт *pôrte*
porte (*d'aéroport*)	выход *viRade*
réserver	забронировать *zabrani-ravate*
taxi	такси *taxi*
terminal	аэровокзал *aèrôvak-zal*
train	поезд *pôyizde*
visa	виза *viza*

un billet pour ...
билет до ...
bilièté do ...

j'aimerais réserver une place
я хотел (*m*)/хотела (*f*) бы забронировать место
ya Ratièle/Ratièla bi zabrani-ravate mièsta

fumeurs/non fumeurs, s'il vous plaît
для курящих/некурящих, пожалуйста
dlia kouriachiR/nièkouriachiR, pajâlsta

près de la fenêtre, s'il vous plaît
около окна, пожалуйста
ôkala akna, pajâlsta

sur quel quai part le train pour ... ?
с какой платформы отходит поезд на ...?
skakoï platfôrmi ate-Rôdite pôyizde na ...?

LE VOYAGE

à quelle heure part le prochain vol ?
когда отлетает следующий самолёт?
kagda atlètayète slièdouchi samale-yote?

c'est bien le train pour ... ?
это поезд на ...?
èta pôyizde na ...?

cet autobus va-t-il à ... ?
идёт ли этот автобус до ...?
idiote li ètate ave-tôbousse do ...?

cette place est libre ?
это место свободно?
èta mièsta svabôdna?

est-ce que je dois changer (de train) ?
нужно ли мне пересесть на другой поезд?
nouje-na li mniè pèrèssièste na drougoï pôyizde?

c'est bien cet arrêt pour ... ?
на этой остановке нужно выйти к ...?
na ètoï astanôfe-kiè nouje-na viti k ...?

quel terminal pour ... ?
какой аэровокзал для рейсов в ...?
kakoï aèrôvak-zal dlia rëïssaffe v ...?

ce billet est valable ?
этот билет действителен?
ètate bilière dièïsse-tvitièliène?

je voudrais changer mon billet
я хотел (*m*)/хотела (*f*) бы поменять билет
ya Ratièle/Ratièla bi pamène-yate bilière

merci pour votre hospitalité
спасибо за гостеприимство
spassiba za gastèpri-ime-stva

c'est vraiment gentil d'être venu me chercher
большое спасибо, что пришли меня встретить
balchoyè spassiba, chtô prichli mènia fstrètite

nous voici donc à ...
вот мы и в ...
vôte mi i v...

LE VOYAGE

yèste li ou vasse vièchi padle-jachiyè tamôjènamou sbôrou ?
есть ли у вас вещи, подлежащие таможенному сбору?
rien à déclarer ?

ate-kroïtiè tchèmadane pajâlsta
откройте чемодан, пожалуйста
ouvrez votre valise, s'il vous plaît

внимание!	attention !
внутренние рейсы	vols intérieurs
время отправления	heure de départ
время регистрации	heure d'enregistrement
вход	entrée
выдача багажа	réclamation bagages
вылет	départ(s) (*aéroport*)
выход	sortie
Ж - женский туалет	dames
зал ожидания	salle de départ/salle d'attente
застегните привязные ремни	attachez vos ceintures
камера хранения	consigne
касса Аэрофлота	bureau de l'Aeroflot
к перронам	vers les quais
к поездам	vers les trains
М - мужской туалет	messieurs
международные рейсы	vols internationaux
не курить	ne pas fumer
паспортный контроль	contrôle des passeports
посадка	arrivée (*d'avion*)
прибытие	arrivée
прилёт	arrivée(s) (*d'avion*)
расписание поездов	horaire de trains
регистрация билетов и багажа	enregistrement
справочное бюро	informations
таможенная декларация	formulaire de déclaration de douane
таможня	douanes

LE LOGEMENT

auberge de jeunesse	общежитие *obche-jitiyè*
avec salle de bain	с ванной *svanoï*
balcon	балкон *balkône*
carte d'hôtel	пропуск *prôpousk*
chambre	номер *nomière*
chambre pour deux	номер на двоих *nomière na dva-iR*
chambre pour une personne	номер на одного *nomière na adnavô*
clé	ключ *klioutche*
concierge d'étage	дежурная *dièjour-naya*
déjeuner	обед *abiède*
dîner	ужин *oujine*
douche	душ *douche*
hôtel	гостиница *gasti-nitsa*
lit	кровать (f) *kravate*
nuit	ночь (f) *nôtche*
petit déjeuner	завтрак *zaftrak*
réception	регистрация *règuistratsia*
salle à manger	столовая *stalôvaya*
salle de bain particulière	отдельная ванная *ate-dièle-naya vanaya*

j'aimerais une chambre (pour une personne)
я хотел (*m*)/хотела (*f*) бы номер (на одного)
ya Ratièle/Ratièla bi nomière (na adnavô)

j'ai réservé
я заказал (*m*)/заказала (*f*) заранее
ya zakazal/zakazala zaraniè

est-ce que je peux voir la chambre, s'il vous plaît ?
можно посмотреть номер, пожалуйста?
môje-na pasmatrête nomière, pajâlsta?

14

LE LOGEMENT

est-ce que le petit déjeuner est compris ?
входит ли в стоимость завтрак?
frôdite li fstô-imaste zaftrak?

nous aimerions rester encore une nuit
мы хотели бы остаться ещё одну ночь
mi Ratièli bi astatsa yècho adnou nôtche

auriez-vous un fer à repasser ?
есть ли у вас утюг?
yèste li ou vasse outiougue?

pourrais-je avoir une autre couverture, s'il vous plaît ?
можно ещё одно одеяло, пожалуйста?
môje-na yècho adnô adiè-yala, pajâlsta?

j'ai perdu ma carte d'hôtel
я потерял (m)/потеряла (f) пропуск
ya patèrial/patèriala prôpousk

la clé pour la chambre ..., s'il vous plaît
ключ от номера ..., пожалуйста
klioutche ate nomièra ..., pajâlsta

pourrions-nous avoir du thé ?
можно нам чай, пожалуйста?
môje-na name tchaille, pajâlsta?

je suis à l'hôtel ... /chez des amis
я живу в гостинице .../у друзей
ya jivou vgastinitsiè .../ou drouzyéï

pouvez-vous me réveiller à 6 heures 30 demain matin ?
разбудите меня, пожалуйста, в шесть тридцать завтра
утром
razbouditiè mènia, pajâlsta, fchèste tritsate zaftra outrame

à quelle heure servez-vous le petit déjeuner/le dîner ?
во сколько завтрак/ужин?
va skolka zaftrak/oujine?

**est-ce que nous pouvons prendre le petit déjeuner dans
notre chambre ?**
можно ли заказать завтрак в номер?
môje-na li zakazate zaftrak vnomière?

LE LOGEMENT

merci de nous avoir hébergés
спасибо за приют
spassiba za priyoute

автостоянка	parking
администратор	directeur
буфет	cafétéria
бюро обслуживания	bureau (*pour renseignement général*)
второй этаж	premier étage
горничная	femme de ménage
дежурная (по этажу)	concierge d'étage
запасной выход	sortie de secours
к себе	tirer
лифт	ascenseur
обмен валюты	taux de change
от себя	pousser
парикмахерская	coiffeur
первый этаж	rez-de-chaussée
почта	boîte à lettres
пропуск	carte d'hôtel (*à conserver*)
союзпечать	kiosque à journaux
туалет	toilettes
швейцар	portier

AU RESTAURANT

addition	счёт *chiote*
boire	пить/выпить *pite/vipite*
dessert	десерт *dèssièrte*
eau	вода *vada*
garçon	официант *afitsiâne-te*
manger	есть/съесть *yèste/sièste*
menu	меню *mèniu*
nourriture	пища *picha*
pourboire	чаевые *tchayèviyè*
restaurant	ресторан *rèstarane*
salade	салат *salate*
serveuse	официантка *afitsiâne-tka*
thé	чай *tchaille*

une table pour trois, s'il vous plaît
столик на троих, пожалуйста
stolik na tra-iR, pajâlsta

nous aimerions commander
мы хотели бы заказать
mi Ratièli bi zakazate

qu'est-ce que vous recommandez ?
что вы посоветуете?
chtô vi passaviètou-yètiè?

j'aimerais ..., s'il vous plaît
принесите, пожалуйста ...
prinièssitiè, pajâlsta ...

je peux avoir la même chose que lui ?
можно мне то же, что у него?
môje-na mniè tôjè, chtô ou nièvô?

garçon !
официант!
afitsiâne-te!

17

AU RESTAURANT

Mademoiselle !
девушка!
dièvouchka!

l'addition, s'il vous plaît
счёт, пожалуйста
chiote, pajâlsta

un thé, s'il vous plaît
чашку чая, пожалуйста
tchachkou tchaya, pajâlsta

c'est pour moi
это для меня
èta dlia mènia

encore un peu de pain, s'il vous plaît
ещё хлеба, пожалуйста
yècho Rlièba, pajâlsta

une bouteille de rouge/blanc, s'il vous plaît
пожалуйста, бутылку красного/белого вина
pajâlsta, boutilkou krasnava/bièlava vina

блинная	cafétéria, crêperie
гриль-бар	bar grill (*poulet frit etc*)
диетическая столовая	cantine servant des produits diététiques
закусочная	snack-bar
кафе	café
кафе-мороженое	salon de thé, glacier
мест нет	aucune table libre
напитки	boissons fraîches
пельменная	cafétéria servant des "pelmièni" (*pâtés à la viande*)
пивной бар	brasserie
пирожковая	cafétéria servant des mets sucrés et salés
пиццерия	pizzeria
столовая	cantine
шашлычная	restaurant servant des kebabs

LA CUISINE RUSSE

(voir aussi le dictionnaire)

Termes du menu

закуски *zakouski* amuse-gueule, hors d'œuvres
национальные блюда *natsi-anâlni-yè bliouda* plats nation-
  aux
основное блюдо *asnave-noyè bliouda* plat principal
первое блюдо *pière-voyè blîouda* entrée
русская кухня *rouskaya kouR-nia* cuisine russe
сладкое блюдо *slâdkoyè bliouda* dessert
фирменные блюда *firmièniyè bliouda* spécialités

Méthodes de préparation

домашний *damachnille* fait maison
жареный *jarièni* frit, grillé, rôti
копчёный *kap-tchoni* fumé
отварной *ate-varnoï* bouilli, poché
печёный *pitchoni* cuit au four
тушёный *touchoni* cuit en ragoût
фаршированный *far-chirôvani* farci

азу *azou* émincé de viande servi dans une sauce
антрекот *ane-trèkôte* entrecôte
апельсины *apièle-sini* oranges
арбуз *arbouze* melon d'eau
ассорти мясное *assorti miasse-no-yè* assortiment de viandes
ассорти рыбное *assorti ribnoyè* assortiment de poissons

баклажан *baklajane* aubergine
банан *banane* banane
баранина *baranina* mouton, agneau
баранина на вертеле *baranina na vière-tièliè* mouton rôti à
  la broche
баранки *barane-ki* petits pains ronds
бараньи котлеты *baraniyi katlièti* côtelettes d'agneau

19

LA CUISINE RUSSE

белый хлеб *bièli Rlièbe* pain blanc

беф-строганов *bièfe stroganaffe* bœuf Stroganoff

бифштекс натуральный *bife-chtièkse natouralni* steak nature, frit ou grillé

блинчики с вареньем *bline-tchiki svariènième* crêpes à la confiture

блины с икрой *blini sikroï* blinis servis avec du caviar

блины со сметаной *blini sa smiètânoï* blinis servis avec de la crème aigre

бородинский хлеб *baradine-ski Rlièbe* pain noir épicé

борщ *borche* 'bortsch', soupe au bœuf, à la betterave/chou rouge

брынза *brine-za* fromage de brebis

бульон с пирожками *boulione spiraje-kami* bouillon avec des petites pâtés à la viande

бульон с фрикадельками *boulione sfrika-dièle-kami* bouillon aux boulettes de viande

варенье *varèniè* conserves

ватрушка *vatrouchka* genre de gâteau au fromage blanc

вермишель *vermichèle* vermicelles

ветчина с гарниром *viètchina sgarnirame* jambon servi avec des légumes

винегрет *vini-griète* salade de légumes

виноград *vinagrade* raisin

голубцы *galoube-tsi* chou farci à la viande et au riz

гречневая каша *griètche-nièva-ya kacha* porridge de blé noir

грибы в сметане *gribi fsmiètâniè* champignons à la crème aigre

груши *grouchi* poires

говядина *gaviadina* bœuf

гуляш из говядины *gouliache ize gaviadini* goulache de bœuf

гусь жареный с капустой или с яблоками *gousse jarièni skapoustoï ili siablakami* oie rôtie servie avec du chou ou des pommes

дыня *dinia* melon

LA CUISINE RUSSE

жареное филе рыбы *jarènoyè filé ribi* filet frit de poisson
жареные кабачки *jarèniyè kabatchki* courgettes frites
желе *jèliè* gelée - dessert

заливная рыба *zalive-naya riba* poisson en gelée
заяц *zayatse* lièvre
зелёный горошек *zèlioni garôchèk* petits pois

изюм *izioume* raisins secs
икра зернистая *ikra zièrnistaya* caviar noir
икра кетовая *ikra kiètovaya* caviar rouge
индейка *ine-diéka* dinde

камбала *kame-bala* carrelet
карп жареный *karpe jarièni* carpe frite
картофель *kartofièle* pommes de terre
кекс *kièkse* cake aux fruits
кета *kièta* saumon de Sibérie
кисель *kissièle* boisson gelatineuse au fruit
кислая капуста *kislaya kapousta* choucroute
клубника *kloub-nika* fraises
колбаса *kalbassa* genre de salami
компот *kame-pôte* compote de fruit
котлеты по-киевски *katlièti pa-kiyève-ski* blanc de poulet
   farci au beurre d'ail, poulet à la Kiev
котлеты столичные *katlièti stalitchni-yè* steak de viande hachée
креветки под майонезом *kriviète-ki pode maille-yanézame* crevettes à la mayonnaise
креветки *kriviète-ki* crevettes
крем *krième* crème au beurre
кролик *krôlik* lapin

лаваш *lavache* pain de Georgie
лук *louk* oignons

макароны *makarôni* macaroni
мандарины *mandarini* mandarines
масло *mâsla* beurre
морковь *markôfe* carottes
мороженое 'пломбир' *marôjènayè 'plame-bir'* glace (au lait)

LA CUISINE RUSSE

мороженое клубничное *marôjènayè kloub-nitche-nayè* glace à la fraise

мороженое шоколадное *marôjènayè chokaladnayè* glace au chocolat

овощной суп *avachnoï soupe* soupe de légumes

омлет натуральный *ame-liète natourâlni* omelette nature

орехи *arièRi* noix

ореховый торт *arièRavi torte* gâteau au noix

осетрина заливная *assètrina zalive-naya* aspic d'esturgeon

осетрина с гарниром *assètrina sgarnirame* esturgeons servis avec des légumes

осётр запечённый в сметане *assiotre zapitchoni fsmitâniè* esturgeon cuit dans de la crème aigre

отварной цыплёнок *ate-varnoï tsip-lionak* poulet bouilli

пельмени *pèle-mièni* quenelle de viande

перец *pièrietse* poivron

персик *pière-sik* pêche

печёнка *pètchone-ka* foie

пирог с яблоками *pirôgue siablakami* gâteau à la pomme

пирожки с капустой *piraje-ki skapoustoï* petit pâté au chou

пирожки с мясом *piraje-ki smiassame* petit pâté à la viande

пирожное *pirôje-noyè* petit gâteau

плов *plôffe* riz pilaf

пончики *pône-tchiki* beignets

почки *pôtche-ki* rognons

рагу из свинины *ragou ize svinini* ragoût de porc

рассольник *rassolnik* soupe de concombre avec des rognons

рис *risse* riz

рулет *rouliète* boulette de viande

с гарниром *sgarnirame* avec des légumes

салат из крабов *salâde ize krabaffe* salade de crabe

салат из огурцов *salâde ize agourtsoffe* salade de concombres

салат из помидоров *salâde ize pamidôraffe* salade de tomates

салат мясной *salâte miasse-noï* salade de viande

свинина *svinina* porc

свиные отбивные с чесноком *sviniyè ate-bive-niyè s-tchisse-nakôme* côtelettes de porc à l'ail

LA CUISINE RUSSE

селёдка малосольная *sèliodka malassole-naya* harengs légèrement salés

сёмга *siome-ga* saumon fumé

скумбрия запечённая *skoume-briya za-pitchonaya* maquereau cuit

сливки *slive-ki* crème

сливы *slivi* prunes

сметана *smiètâna* crème aigre

солёные огурцы *salioni-yè agourtsi* concombres salés

судак по-русски *soudak parouski* brochet à la Russe

суп из свежих грибов *soupe ize svièjiR griboffe* soupe aux champignons frais

суп картофельный *soupe kartofièlnille* soupe de pommes de terre

суп мясной *soupe miasse-noï* potage à la viande

сыр *sir* fromage

творог *tvôrag* fromage frais

телятина *tèliatina* veau

телячьи отбивные *tièliatchi ate-bive-niyè* côtelettes de veau

торт *torte* gâteau

треска *trèsse-ka* morue

тресковая печень в масле *trèsse-kôvaya piètchène fmâsliè* foie de morue à l'huile

тушёное мясо в горшочке *tou-chonoyè miassa vgarchotchkiè* viande en ragoût (mijoté dans un plat d'argile)

утка *oute-ka* canard

уха *ouRa* soupe de poissons

фаршированные помидоры *far-chirôvaniyè pamidôri* tomates farcies

форель *farièle* truite

фруктовое мороженое *frouktôvayè marôjènayè* glace aux fruits

харчо *Rar-tchô* soupe de mouton épaisse et épicée de Georgie

цветная капуста *tsviètnaya kapousta* chou fleur
цыплёнок 'табака' *tsip-lionak tabaka* poulet Caucasien rôti dans une sauce à l'ail

чеснок *tchisnôk* ail
чёрный хлеб *tchorni Rlièbe* pain noir

шашлык *chachlik* brochette d'agneau ou de mouton
шоколад *chokalade* chocolat
шпроты *chprôti* sprats à l'huile

щи *chi* soupe aux choux

яблоки *yablaki* pommes
яичница *yaïtchnite-sa* œufs au plat/omelette
яйца вкрутую *yaille-tsa fkroutou-you* œufs dur
яйцопод майонезом *yaille-tsô pode maille-yanïzame* œuf mayonnaise

AU BISTRO

bar	бар *bar*
bière	пиво *piva*
blanc	белое *bièloyè*
brasserie	пивной бар *pive-noï bar*
champagne	шампанское *champane-skoyè*
coca-cola (R)	кока-кола *kôka-kôla*
cognac	коньяк *kaniak*
doux	сладкое *slade-koyè*
gin-tonic	джин с тоником *djine stonikame*
glace	лёд *liode*
jus d'orange	апельсиновый сок *apièle-sinovi sok*
limonade	лимонад *limanade*
rouge	красное *krasnoyè*
sec	сухое *souRoyè*
(sans eau etc)	неразбавленный *nièraze-bavlièni*
vin	вино *vinô*
vodka	водка *vôdka*
whisky	виски *viski*

on va boire un pot ?
пойдём выпьем?
païdiome vipième?

une bière, s'il vous plaît
одно пиво, пожалуйста
adnô piva, pajâlsta

deux bières, s'il vous plaît
два пива, пожалуйста
dva piva, pajâlsta

de la bière russe/de la bière importée
русское пиво/импортное пиво
rouskoyè piva/ime-parte-noyè piva

un verre de rouge/blanc
бокал красного/белого вина
bakal krasnava/bièlava vina

25

AU BISTRO

sans glace, s'il vous plaît
безо льда, пожалуйста
bièza lda, pajâlsta

la même chose, s'il vous plaît
то же самое, пожалуйста
tô jè samoyè, pajâlsta

qu'est-ce que vous prenez ?
что вы будете?
chtô vi bouditiè?

c'est ma tournée
моя очередь платить
maya ôtchèrède platite

pas pour moi, merci
мне нет, спасибо
mniè nitte, spassiba

il est complètement bourré
он пьян в доску
one piane vdôskou

бар	bar
боржоми	eau minérale
виноградный сок	jus de raisin
водка	vodka
квас	kvass (*boisson brune gazeuse non alcoolisée*)
коктейль	cocktail (*en général non alcoolisé*)
коньяк	cognac
кофе с молоком	café au lait
перцовка	vodka au poivre
пивной бар	brasserie
Советское шампанское	Champagne Russe
соки-воды	bar vendant des boissons non alcoolisées
чёрный кофе	café noir
яблочный сок	jus de pommes

QUELQUES EXPRESSIONS FAMILIERES

bourré	сильно пьян *silna piane*
cinglé	псих *psiR*
crétin	кретин *krètine*
dingue	чокнутый *tchoknouti*
imbécile	дурак *dourak*
mec	парень *pariène*
nana	девушка *dièvouchka*
salaud	сволочь (f) *svôlatche*

super !
отлично!
atli-tchna!

quelle horreur !
какой ужас!
kakoï oujasse!

ferme-la !
замолчи!
zamaltchi!

aïe !
а!
a!

miam!
ой, как вкусно!
oï, kak fkousna!

je suis complètement crevé
я смертельно устал (*m*)/устала (*f*)
ya smèrtièle-na oustal/oustala

j'en ai marre
мне надоело
mniè nadayèla

j'en ai ras le bol de ...
мне надоело ...
mniè nadayèla ...

QUELQUES EXPRESSIONS FAMILIERES

laissez-moi rire !
не смешите меня!
niè smèchitiè mènia!

vous plaisantez !
вы шутите!
vi choutitiè!

c'est de la camelote
это барохло
èta baraR-lô

c'est du vol organisé
это обдираловка
èta abdiralafe-ka

tire-toi !
убирайся отсюда!
oubiraille-sia ats-iuda!

c'est vraiment embêtant
это очень досадно
èta ôtchène dassadna

c'est vraiment génial !
просто великолепно!
prôsta vèlikalièpe-na!

безобразие!	*bièzabraziyè!*	c'est une honte !
ерунда!	*èroune-da!*	pas de problème
здорово!	*zdôrava*	super !
кошмар!	*kache-mare !*	Mon Dieu, c'est affreux !
куда прёшься?!	*kouda prioche-sia ?!*	où allez-vous donc ?!
молодец!	*maladiètse !*	bravo !
ничего себе!	*nitchèvô sèbiè !*	pas mal du tout !
пошёл ты...!	*pachol ti ... !*	va te faire voir !
чёрт!	*tchiorte !*	zut !

aller retour	билет туда и обратно *biliète touda i abratna*
aller simple	билет в один конец *biliète vadine kaniètse*
autobus	автобус *ave-tôbousse*
bateau-mouche	речной трамвай *rètchnoï trame-vaille*
billet	билет *biliète*
carte	карта *karta*
changer	пересесть *pèrèssièste*
essence	бензин *biène-zine*
faire du stop	путешествовать на попутных машинах *poutièchèste-vavate na papoutniR machinaR*
garage	станция обслуживания *stane-tsiya absloujévania*
gare	вокзал *vak-zal*
métro	метро *mjètrô*
moto	мотоцикл *mata-tsikle*
taxi	такси *taxi*
ticket	билет *biliète*
train	поезд *pôyizde*
tramway	трамвай *trame-vaille*
trolleybus	троллейбус *tralébousse*
voiture	машина *machina*

pourrais-je avoir un carnet de tickets, s'il vous plaît ?
можно абонементную книжечку, пожалуйста?
môje-na abanimènte-nouyou knijètche-kou, pajâlsta?

pourriez-vous poinçonner mon ticket, s'il vous plaît ?
пробейте, пожалуйста
pra-biétiè, pajâlsta

j'aimerais louer une voiture
я хотел (*m*)/хотела (*f*) бы взять напрокат машину
ya Ratièle/Ratièla bi vziate naprakate machinou

LES TRANSPORTS

combien ça coûte par jour ?
сколько это стоит в день?
skolka èta stô-ite vdiène?

quand dois-je rapporter la voiture ?
когда я должен (*m*)/должна (*f*) вернуть машину?
kagda ya doljène/dalje-na vèrnoute machinou?

je vais à ...
я еду в ...
ya yèdou v ...

par où est ...?
как доехать до ...?
kak dayèRate do ... ?

REPONSES

priama
прямо
tout droit

pavèrnitiè nalièva/naprava
поверните налево/направо
tournez à gauche/droite

vône to zdaniyè tame
вон то здание там
c'est ce bâtiment-là

nada vière-noutsa abratna tième jè poutiome
надо вернуться обратно тем же путём
il faut revenir sur vos pas

pièrville/ftaroï/trétille slièva
первый/второй/третий слева
la première/deuxième/troisième à gauche

nous visitons la région
мы путешествуем по стране
mi poutièchèste-vouyème pastraniè

je ne suis pas d'ici
я не отсюда
ya niè atsiudâ

LES TRANSPORTS

est-ce sur mon chemin ?
это по пути?
èta papouti?

est-ce que je peux descendre ici ?
можно выйти здесь?
môje-na viti zdièsse?

merci de m'avoir emmené
спасибо, что подвезли
spassiba, chtô pade-vièzli

deux aller-retour pour ..., s'il vous plaît
два билета туда и обратно до ..., пожалуйста
dva bilièta touda i abratna do ..., pajâlsta

à quelle heure part le dernier train pour rentrer ?
во сколько отходит последний поезд обратно?
va skolka ate-Rôdite paslièdni pôyizde abratna?

nous voulons partir demain et revenir après-demain
мы хотим уехать завтра и вернуться послезавтра
mi Ratime ouyèRate zave-tra i vèrnoutsa pôsliè-zaftra

nous reviendrons dans la journée
мы вернёмся в этот же день
mi vèrniome-sia vètate jè diène

c'est bien le quai pour aller à ... ?
это платформа на ...?
èta platfôrma na ...?

c'est bien le train pour ... ?
это поезд на ...?
èta pôyizde na?

où sommes-nous ?
где мы?
gdié mi?

où est-ce que je dois descendre pour aller à ... ?
где мне выйти, чтобы добраться до ...?
gdié mniè viti chtôbi dabratsa do ...?

où se trouve la station-service la plus proche ?
где ближайшая заправочная станция?
gdié blijaille-chaya zapravatche-naya stane-tsiya?

LES TRANSPORTS

les freins ne marchent pas bien
тормоза не в порядке
tarmaza niè fpariade-kiè

А	arrêt de bus
бежать по эскалатору воспрещается	ne pas courir sur les escalators
берегись автомобиля!	attention, sortie de véhicules !
вход	entrée
выход	sortie
выход в город	sortie vers la ville
держитесь левой стороны	rester à gauche
единый билет	ticket valide pour tous les transports publics
компостер	composter pour valider les tickets
к поездам	vers les trains
М	métro
маршрутное такси	minibus circulant sur un parcours déterminé pour un faible prix *(15 kopecks)*
метро	métro
не прислоняться	ne pas s'appuyer contre les portes
нет входа	pas d'entrée
нет выхода	pas de sortie
осторожно, двери закрываются!	attention, les portes se ferment !
переход	changement *(de ligne de métro)*
продажа билетов и талонов	tickets
проездной билет	ticket saisonnier
размен	monnaie
справочное бюро	renseignements
стоянка такси	station de taxi
схема	carte routière/carte de métro
Т	arrêt de trolleybus et de tramway
талоны	tickets

LE SHOPPING

bon marché	дешёвый *dièchovi*
caisse	касса *kassa*
chèque	чек *tchèk*
cher	дорогой *daragoï*
magasin	магазин *magazine*
marché	рынок *rinak*
payer	платить/заплатить *platite/zaplatite*
rayon	отдел *ate-dièle*
reçu	квитанция *kvitane-tsia*
sac	сумка *soume-ka*
supermarché	универсам *ounivèrsame*
vendeur	продавец *pradaviètse*
vendeuse	продавщица *pradave-chitsa*

j'aimerais ...
я хотел (*m*)/хотела (*f*) бы ...
ya Ratièle/Ratièla bi ...

avez-vous ... ?
у вас есть ...?
ou vasse yèste ...?

c'est combien ?
сколько это стоит?
skolka èta stô-ite?

celui dans la vitrine
тот, который в витрине
tôte katôri vitriniè

vous acceptez les cartes de crédit ?
вы принимаете кредитные карточки?
vi prinimayètiè krèditniyè karta-tchki

je peux avoir un reçu ?
можно получить квитанцию?
môje-na paloutchite kvitane-tsiou?

33

LE SHOPPING

j'aimerais l'essayer
я хотел (*m*)/хотела (*f*) бы померить это
ya Ratièle/Ratièla bi pamiérite èta

je reviendrai
я вернусь
ya vèrnousse

c'est trop grand/petit
это слишком большой/маленький
èta sliche-kame balchoï/maliène-ki

ce n'est pas ce qu'il me faut
это не то, что мне нужно
èta niè tô, chtô mniè nouje-na

je le prends
я возьму это
ya vazmou èta

vous pouvez me faire un emballage-cadeau ?
это подарок, вы можете его завернуть покрасивее?
èta padârak, vi môjétiè yèvô zavièrnoute pakrassive-yé?

выдача покупок	point de réception des achats
выходной день ...	fermé le ...
галантерея	mercerie
гастроном	magasin d'alimentation, épicerie fine
закрыто	fermé
магазин работает с ... до ...	ce magasin est ouvert de ... à ...
перерыв на обед с ... до ...	fermé pour le repas entre ... et ...
платите в кассу	payer à la caisse
подарки	magasin de cadeaux
примерочная	cabine d'essayage
санитарный день	fermé pour nettoyage
сегодня в продаже: ...	à vendre aujourd'hui : ...
учёт	inventaire

LE PAYS RUSSE

Арбат	quartier piéton animé à Moscou
балалайка	balalaïka
Большой театр	le Théâtre Balchoï
валенки	bottes de feutre traditionnelles russes
ВДНХ	Exposition des Réalisations Économiques
Великая Октябрьская социалистическая революция	Grande Révolution Socialiste d'octobre
ГУМ	le grand magasin le plus célèbre d'URSS, près de la Place Rouge
Золотое кольцо	'L'Anneau d'Or'- centres religieux tout autour de Moscou
квас	boisson brune non alcoolisée
колхоз	ferme collective
Красная площадь	Place Rouge
Кремль	Le Kremlin
матрёшка	poupée russe
область	région administrative
Русская зима	festival d'art russe (*chants, danses etc*)
Русская тройка	'troïka' russe - traîneau tiré par trois chevaux
самовар	samovar - bouilloire très travaillée
субботник	samedi où les russes travaillent bénévolement et les élèves nettoient leur ville (*par exemple le jour de l'anniversaire de Lénine*)
тулуп	lourd manteau traditionnel en peau de mouton
Эрмитаж	le Musée de l'Hermitage et le Musée d'Art à Léningrad, autrefois le Palais d'Hiver des tsars
1-е Мая	1er Mai - Jour des Travailleurs
7-е Ноября	célébration de la Grande Révolution d'octobre

L'ARGENT

addition	счёт *chiote*
banque	банк *bane-ke*
bureau de change	бюро обмена денег *biourô abe-mièna dièniègue*
carte de crédit	кредитная карточка *krèditnaya karta-tchka*
chèque	чек *tchèk*
chèque de voyage	дорожный чек *darôje-ni tchèk*
cher	дорогой *daragoï*
francs français	французские франки *frane-tsouze-skiyè frane-ki*
kopeck	копейка *kapiéka*
monnaie	мелочь (f) *mièlatche*
prix	цена *tsèna*
reçu	квитанция *kvitane-tsia*
rouble	рубль (m) *rouble*
taux de change	курс валюты *kourse valiouti*

combien ça coûte ?
сколько это стоит?
skolka èta stô-ite ?

j'aimerais changer ceci en ...
мне нужно обменять это на ...
mniè nouje-na abmèniate èta na ...

pourriez-vous me donner de la monnaie ?
вы можете дать мне мелочью?
vi môjétiè date mniè mièlatchiou?

est-ce que vous acceptez cette carte de crédit ?
вы принимаете кредитную карточку?
vi prinima-yètiè krèditnouyou karta-tchkou?

l'addition, s'il vous plaît
счёт, пожалуйста
chiote, pajâlsta

L'ARGENT

gardez la monnaie
сдачу оставьте себе
sdatchou astaftiè sèbiè

est-ce que le service est compris ?
включает ли это обслуживание?
fkloutchayète li èta abesloujévaniè?

quel sont vos taux ?
какие у вас расценки?
kakiyè ou vasse rasse-tsène-ki?

je crois qu'il y a une erreur
мне кажется, здесь есть ошибка
mniè kajètsa, zdièsse yèste achibe-ka

je n'ai pas un rond
у меня нет ни копейки
ou mènia niète ni kapiéki

L'unité monétaire est le rouble. Il se divise en 100 kopecks. Il existe des pièces de 1, 2, 3, 5, 10, 15, 20 et 50 kopecks et des pièces de 1 rouble. On trouve aussi des
billets de 1 rouble (beige), 3R (*vert*), 5R (*bleu*), 10R (*rose*),
25R (*violet*) et 50R (*vert*). Certains billets ou pièces por-
tent un nom : le billet de 5 roubles пятёрка *pitiorka* ; la
pièce de 2 kopecks двушка *dvouchka* ; et la pièce de 5 kopecks пятак *pitak*.

банк работает с ... до ...	banque ouverte de ... à ...
бланк	formulaire
деньги	argent
касса	caisse
касса работает с ... до ...	banque ouverte de ... à ...
обмен валюты	bureau de change
подпись	signature
р	rouble
размен	machine pour le change
сберегательная касса	caisse d'épargne
сберегательный банк	caisse d'épargne

LES SORTIES

ballet	балет *baliète*
billet	билет *biliète*
chanteur	певец *pèviètse*
chanteuse	певица *pèvitsa*
cinéma	кино *kinô*
concert	концерт *kane-tsièrte*
discothèque	дискотека *diskatièka*
film	фильм *film*
groupe	поп-группа *pop-groupa*
musique	музыка *mouzika*
opéra	опера *ôpièra*
pièce	пьеса *pièssa*
place	место *mièsta*
soirée	вечеринка *viètchèrine-ka*
sortir	выходить/выйти *viRadite/viti*
spectacle	спектакль (m) *spèktakle*
théâtre	театр *tèâtre*

qu'est-ce que tu fais ce soir ?
что ты делаешь сегодня вечером?
chtô ti dièlayèche sèvôdnia viètchèrame?

veux-tu sortir avec moi ce soir ?
хочешь пойти куда-нибудь со мной сегодня вечером?
Rôtchiche païti kouda-niboude sa mnoï sèvôdnia viètchèrame ?

qu'est-ce qu'il y a comme spectacle ?
что идёт в театре/кино?
chtô idiote ftèâtriè/fkinô?

avez-vous un programme des spectacles en ville ?
есть ли у вас театральная программа?
yèste li ou vasse tèâtrale-naya pragrama?

quelle est la meilleure discothèque du coin ?
какая поблизости лучшая дискотека?
kakaya pablizasti loutche-chaya diskatièka?

LES SORTIES

allons au théâtre/au cinéma
пойдём в кино/театр
païdiome fkinô/fteâtre

je l'ai déjà vu
я уже это видел (*m*)/видела (*f*)
ya oujè èta vidièle/vidièla

rendez-vous à la gare à neuf heures
встретимся на вокзале в девять часов
fstrè-time-sia na vak-zale-yè vdiéviate tchassoffe

j'aimerais deux places pour demain
я хотел (*m*)/хотела (*f*) бы два билета на завтра
ya Ratièle/Ratièla bi dva biliéta na zaftra

veux-tu danser ?
хочешь танцевать со мной?
Rôtchiche tane-tsèvate sa mnoï?

veux-tu danser encore une fois ?
хочешь ещё потанцевать?
Rôtchiche yècho patane-tsèvate?

merci, mais je suis avec mon copain
спасибо, но я со своим другом
spassiba, nô ya sa sva-ime drougame

allons prendre l'air
пойдём на свежий воздух
païdiome na svièjille vôze-douR

j'ai rendez-vous avec quelqu'un à l'intérieur
у меня встреча с кем-то внутри
ou mènia fstrètcha s kième-ta vnoutri

амфитеатр	premier balcon
балкон	balcon
все билеты проданы	complet
место/ряд	siège/rangée
партер	parterre
предварительная продажа билетов	réservation à l'avance

LA PLAGE

bikini	бикини *bikini*
bronzer	загореть *zagariète*
costume de bain	купальник *koupale-nik*
huile solaire	масло для загара *masla dlia zagara*
lait solaire	лосьон для загара *lassione dlia zagara*
mer	море *moriè*
nager	плавать *plavate*
plage	пляж *pliaje*
plonger	нырять *niriate*
sable	песок *pièssok*
se faire bronzer	загорать *zagarate*
serviette	полотенце *palatiène-tsè*
vague	волна *valna*

allons à la plage
пойдём на пляж
païdiome na pliaje

elle est bonne ?
ну, как вода?
nou, kak vada?

elle est glacée
ледяная
lidiènaya

elle est bonne
тёплая
tioplaya

vous venez nager ?
вы идёте купаться?
vi idiotiè koupatsa?

je ne sais pas nager
я не умею плавать
ya niè oumiè-you plavate

LA PLAGE

il nage comme un poisson
он плавает как рыба
one plavayète kak riba

pouvez-vous me garder mes affaires ?
вы можете посторожить мои вещи?
vi môjétiè pastarajite ma-i vièchi?

l'eau est profonde ?
здесь глубоко?
zdièsse gloubakô?

tu peux m'enduire le dos d'huile solaire ?
ты можешь помазать мне спину маслом для загара?
ti môjéche pamazate mniè spinou maslame dlia zagara?

j'adore les bains de soleil
я очень люблю загорать
ya otchène loubliu zagarate

j'ai pris un gros coup de soleil
я обгорел (*m*)/ обгорела (*f*)
ya abgarièle/abgarièla

vous êtes tout mouillé !
вы весь мокрый (*m*)/вся мокрая (*f*)!
vi vièsse môkri/fsia môkraya!

on va au café ?
пойдём в кафе?
païdiome fkafé?

душ	douches
купаться запрещено!	interdiction de se baigner
медпункт	centre de premiers secours
мороженое	glace
прокат лодок/водных велосипедов	barques/pédalos à louer
прохладительные напитки	rafraîchissements
раздевалка	cabine
температура воды:	température de l'eau :
запрещено ...	... interdit(e)

41

PROBLEMES

accident	несчастный случай *nièchasse-nille sloutchaille*
ambulance	скорая помощь *skôraya pômache*
blessé	раненый *ranièni*
cassé	сломанный *slômani*
en retard	поздно *pôzdna*
gelé	обледенелый *ablèdiè-nèli*
incendie	пожар *pajare*
malade	больной (*m*)/больная (*f*) *balnoï/balnaya*
médecin	врач *vratche*
police	милиция *militsia*
pompiers	пожарные *pajare-niyè*
urgence	критическое положение *kriti-tchèskoyè palajènéyè*

pouvez-vous m'aider ? je me suis perdu
вы не можете мне помочь? я заблудился
 (*m*)/заблудилась (*f*)
vi niè môjétiè mniè pamôtche ? ya zabloudilsia/zabloudilasse

j'ai perdu mon passeport
я потерял (*m*)/потеряла (*f*) паспорт
ya patèrial/patèriala pasparte

je me suis enfermé dehors
я захлопнул (*m*)/захлопнула (*f*) дверь, а ключ остался в
 номере
*ya zaRlôpe-noule/zaRlôpe-noula dvière, a klioutche astalsia
 vnomièriè*

mes bagages ne sont pas arrivés
мой багаж ещё не привезли
moï bagaje yècho niè privièze-li

je n'arrive pas à l'ouvrir
я не могу открыть его
ya niè magou ate-krite yèvô

42

PROBLEMES

c'est bloqué
заело
zayèla

je n'ai pas assez d'argent
у меня нет достаточно денег
ou mènia niète dastatatchna diènièk

je suis tombé en panne
у меня сломалась машина
ou mènia slamalasse machina

c'est une urgence
это срочно
èta srôtche-na

au secours !
на помощь!
na pômache!

ça ne marche pas
это не работает
èta niè rabôtayète

la lumière ne marche pas dans ma chambre
в моей комнате не горит свет
vma-yé kôme-natiè niè garite sviète

l'ascenseur est en panne
лифт сломался
lift slamalsia

je ne comprends rien
я ничего не понимаю
ya nitchèvô niè panimayou

pouvez-vous trouver quelqu'un pour traduire ?
вы можете найти переводчика?
vi môjétiè naïti pèrèvôte-tchika?

la chasse d'eau ne marche pas
вода не спускается в туалете
vada niè spouskayètsa ftou-aliètiè

PROBLEMES

il n'y a pas de bonde pour la baignoire
в ванной нет пробки
vanoï nièt prôpe-ki

il n'y a pas d'eau chaude
нет горячей воды
nièt gariatché vadi

il n'y a plus de papier hygiénique
больше нет туалетной бумаги
bolchè nièt toualiète-noï boumagui

je suis désolé, j'ai cassé le/la ...
я сожалею, но я разбил (*m*)/разбила (*f*)...
ya sajalé-you nô ya razbile/razbila ...

cet homme me suit depuis un moment
этот человек следит за мной некоторое время
ètate tchèlavièk slèdite za mnoï nièkatoroyè vrèmia

j'ai été attaqué
на меня напали
na mènia napali

on m'a volé mon sac à main
у меня украли сумочку
ou mènia oukrali soumatche-kou

администратор	bureau du directeur
бюро находок	objets perdus
запасной выход	sortie de secours
запрещено ...	... interdit(e)
милиция	police
не работает	en panne
опасно!	danger !
осторожно!	attention !/attention à ...!
осторожно, злая собака!	attention au chien !
при пожаре звоните 01	en cas d'incendie composer le 01
скорая помощь 03	pour une ambulance composer le 03
стоп-кран	freins de secours

44

LA SANTE

blessure	рана *rana*
brûlure	ожог *ajog*
cassé	сломанный *slômani*
contraception	противозачаточное средство *prôtive-azatchata-tchnoyè srède-stva*
dentiste	зубной врач *zoubnoï vratche*
gelure	обморожение *abmarajèniyè*
handicapé *m/f*	инвалид *ine-valide*
hôpital	больница *balnitsa*
infirmière	медсестра *mède-sièstra*
malade	больной (*m*)/больная (*f*) *balnoï/balnaya*
maladie	болезнь (*f*) *balièzne*
médecin	врач *vratche*
pansement	повязка *paviazka*
pharmacie	аптека *aptièka*
sang	кровь (*f*) *krôfe*
santé	здоровье *zdarôviè*

je ne me sens pas bien
мне плохо
mniè plôRa

ça empire
становится хуже
stanôvitsa Roujè

je me sens mieux
мне лучше
mniè loutche-chè

j'ai mal au coeur
меня тошнит
mènia tachnite

j'ai mal ici
у меня болит здесь
ou mènia balite zdièsse

45

LA SANTE

ça fait mal
больно
bôlna

il a beaucoup de fièvre
у него высокая температура
ou nièvô vissôkaya tièmpèratoura

pouvez-vous appeler un médecin ?
вы можете вызвать врача?
vi môjétiè vizvate vratcha ?

c'est grave ?
это серьёзно?
èta sèriozna?

il faudra l'opérer ?
нужно ли его оперировать?
nouje-na li yèvô apièriravate?

je suis diabétique
у меня диабет
ou mènia diabiète

avez-vous quelque chose contre ... ?
есть ли у вас что-то против ...?
yèste li ou vasse chtô-ta prôtife ...?

больница	hôpital
кабинет врача	salle de consultation
наружное	pour usage externe uniquement
оптика	opticien
поликлиника	centre de consultation
принимать по 1 таблетке в день	prendre un comprimé par jour
рецептурный отдел	service de prescription des ordonnances
хранить в сухом, прохладном/тёмном месте	à conserver dans un endroit sec, frais/à l'abri de la lumière

est-ce qu'il y a un match de hockey sur glace ?
есть ли хоккейный матч?
yèste li Rakéni matche?

est-ce que nous pouvons utiliser le court de tennis ?
можно пользоваться теннисным кортом?
môje-na pôle-zavatsa tènisse-nime kôrtame?

j'aimerais aller à un match de football
я хотел (*m*)/хотела (*f*) бы пойти на футбольный матч
ya Ratièle/Ratièla bi païti na foutbolni matche

nous allons faire des randonnées
мы пойдём на прогулку в горы
mi païdiome na pragoulkou vgôri

où peut-on faire du ski par ici ?
где здесь можно покататься на лыжах?
gdié zdièsse môje-na pakatatsa na lijaR?

où puis-je louer un équipement de ski ?
где можно взять напрокат лыжный инвентарь?
gdié môje-na vziate naprakate lije-ni ine-vène-tar?

je voudrais apprendre à patiner
я хотел (*m*)/хотела (*f*) бы научиться кататься на коньках
ya Ratièle/Ratièla bi na-outchitsa katatsa na kane-kaR

où se trouve la patinoire la plus proche ?
где ближайший каток?
gdié blijaille-chi katok?

je voudrais louer des patins
я хотел (*m*)/хотела (*f*) бы взять коньки напрокат
ya Ratièle/Ratièla bi vziate kane-ki naprakate

c'est la première fois que j'en fais
я делаю это впервые
ya dièlayou èta fpèrvoiyè

envoyer	посылать *passilate*
exprès	с нарочным *snarôtchnime*
lettre	письмо *pismô*
poste	почта *pôtche-ta*
recommandé	заказное *zakaze-noyè*
timbre	марка *marka*

quel est le tarif pour envoyer une lettre en France ?
сколько стоит письмо во Францию?
skolka stô-ite pismô va frane-tsiyou?

j'aimerais quatre timbres à 50 kopecks
четыре марки по 50 копеек, пожалуйста
tchètiri marki pa pidissiate kapiék, pajâlsta

j'aimerais six timbres pour des cartes postales pour la France
шесть марок для открыток во Францию, пожалуйста
chèste marak dlia ate-kritak va frane-tsiyou, pajâlsta

y a-t-il du courrier pour moi ?
нет ли для меня писем?
niète li dlia mènia pissième?

j'attends un colis de ...
я жду посылку из ...
ya jdou passilkou ize ...

бандероль	imprimé
международная телеграмма	télégramme international
обратный адрес	adresse de l'expéditeur
приём и выдача корреспонденции/ посылок	ramassage et distribution du courrier et des colis
продажа конвертов/ марок/открыток	enveloppes, timbres, cartes postales en vente

bottin	телефонная книга *tèlèfônaya kniga*
cabine téléphonique	телефонная будка *tèlèfônaya boudka*
numéro	номер *nomière*
occupé	занято *zaniata*
opératrice	телефонистка *tèlèfanistka*
poste *m*	добавочный *dabavatchni*
renseignements	справочная *spravatche-naya*
téléphone	телефон *tèlèfône*
téléphoner	звонить/позвонить *zvanite/pazvanite*

y a-t-il un téléphone par ici ?
здесь есть телефон?
zdièsse yèste tèlèfône?

est-ce que je peux me servir de votre téléphone ?
можно позвонить от вас?
môje-na pazvanite ate vasse?

j'aimerais téléphoner en France
я хотел (*m*)/хотела (*f*) бы позвонить во Францию
ya Ratièle/Ratièla bi pazvanite va frane-tsiyou

allô
алло
allô

j'aimerais parler à Natacha
можно Наташу?
môje-na Natachou?

allô, ici Simon
алло, это 'Симон'
allô, èta Simon

est-ce que je peux laisser un message ?
вы можете передать ...?
vi môjétiè pèrèdate ...?

vous parlez le français ?
вы говорите по-французски?
vi gavaritiè pa-frane-tsouski?

pourriez-vous répéter cela très très lentement ?
вы не могли бы повторить это очень очень медленно?
vi niè magli bi pavtarite èta ôtchène, ôtchène miède-lèna?

pouvez-vous lui dire que Pierre a appelé ?
вы можете передать ему, что звонил Пьер?
vi môjtiè pèrèdate yèmou, chtô zvanil Pierre?

pouvez-vous lui demander de me rappeler ?
попросите её, пожалуйста, мне позвонить
paprassitiè yèyo, pajâlsta, mniè pazvanite

je rappellerai
я позвоню позже
ya pazvaniu pôjè

voici mon numéro
мой номер ...
moï nomière ...

76 32 11
soixante-seize trente-deux onze
семьдесят шесть - тридцать два - одиннадцать
sième-dèssiate chèste - tritsate dva - adinatsate

un instant, s'il vous plaît
минуту, пожалуйста
minoutou, pajâlsta

combien a coûté mon appel ?
сколько стоил разговор?
skolka sto-ile razgavôr?

il est sorti
он вышел
one vichèle

excusez-moi, je me suis trompé de numéro
извините, я ошибся (*m*)/ошиблась (*f*) номером
izvinitiè, ya achibe-sia/achiblasse nomièrame

LE TELEPHONE

je vous entends très mal
я вас очень плохо слышу
ya vasse ôtchène plôRa slichou

REPONSES

niè vièchaille-tiè troupkou
не вешайте трубку
ne quittez pas

ktô gavarite ?
кто говорит?
qui est à l'appareil?

двухкопеечная монета	une pièce de deux kopecks
междугородный телефон	appels nationaux
международный телефон	téléphone international
наберите номер	composer le numéro
пожар - 01	pompier (*composer le 01*)

LES CHIFFRES, LA DATE ET L'HEURE

0	ноль	*nol*
1	один	*adine*
2	два	*dva*
3	три	*tri*
4	четыре	*tchètiri*
5	пять	*piate*
6	шесть	*chèste*
7	семь	*sième*
8	восемь	*vôssième*
9	девять	*diéviate*
10	десять	*diéssiate*
11	одиннадцать	*adinatsate*
12	двенадцать	*dvиènatsate*
13	тринадцать	*trinatsate*
14	четырнадцать	*tchétir-natsate*
15	пятнадцать	*pétnatsate*
16	шестнадцать	*chèsse-natsate*
17	семнадцать	*sèmnatsate*
18	восемнадцать	*vassème-natsate*
19	девятнадцать	*dié-viate-natsate*
20	двадцать	*dvatsate*
21	двадцать один	*dvatsate adine*
22	двадцать два	*dvatsate dva*
30	тридцать	*tritsate*
35	тридцать пять	*tritsate piate*
40	сорок	*sôrak*
50	пятьдесят	*pidissiate*
60	шестьдесят	*chèsdissiate*
70	семьдесят	*sième-dèssiate*
80	восемьдесят	*vôssième-dèssiate*
90	девяносто	*dié-vianosta*
91	девяносто один	*dié-vianosta adine*
100	сто	*stô*

LES CHIFFRES, LA DATE ET L'HEURE

101	сто один *stô adine*
200	двести *dvièsti*
202	двести два *dvièsti dva*

1 000	тысяча *tissétcha*
2 000	две тысячи *dviè tissétchi*
10 000	десять тысяч *diéssiate tissétche*

1 000 000	миллион *miliône*
100 000 000	сто миллионов *stô miliônaf*

consulter aussi la section grammaire

1er	первый *pièrville*
2ème	второй *ftaroï*
3ème	третий *trétille*
4ème	четвёртый *tchéte-viortille*
5ème	пятый *piatille*
6ème	шестой *chèstoï*
7ème	седьмой *sième-moï*
8ème	восьмой *vasmoï*
9ème	девятый *diéviatille*
10ème	десятый *diéssiatille*

quel jour sommes-nous ?
какое сегодня число?
kakoyè sèvôdnia tchislô ?

c'est le premier juin
сегодня первое июня
sèvôdnia pièrvoyè iyounia

1994
тысяча девятьсот девяносто четвёртый год
tissétcha dié-viatsote dié-vianosta tchéte-viortille gôde

quelle heure est-il ?
который час?
katôri tchasse?

LES CHIFFRES, LA DATE ET L'HEURE

il est midi/minuit
сейчас полдень/полночь
sétchasse pôldiène/pôlnotche

il est une heure/trois heures
час дня/три часа
tchasse dnia/tri tchassa

il est trois heures vingt
три двадцать
tri dvatsate

il est trois heures moins vingt
без двадцати три
bièze dvatsati tri

il est huit heures et demie/neuf heures et demie
восемь тридцать/девять тридцать
vôssième tritsate/diéviate tritsate

il est cinq heures et quart
пять пятнадцать
piate pétnate-sate

il est cinq heures moins le quart
без пятнадцати пять
bièze pétnatsati piate

à quatorze/dix-sept heures
в четырнадцать часов/в семнадцать часов
f tchétir-natsate tchassoffe/fsèmnatsate tchassoffe

à: à la gare na vak-zaliè; **à 3 heures** f 3 tchassa; **à Paris** f-Parijè; **je vais à Paris/à la gare** ya yèdou f-Parije/na vak-zal; **à demain** da zaftra; **à la vôtre !** za vachiè zdarôviè!
abeille f p-tchièla
abord: d'abord snatchala
abricot m abrikôsse
accélérateur m aksièlièratar
accent m ak-tsiène-te
accepter prinimate/priniate
accident m avaria
accompagner sapravaje-date
accord: d'accord ladna; **je suis d'accord** (homme) ya saglassiène; (femme) ya saglasna
acheter pakoupate/koupite
acide kisli
adaptateur m père-radnik
addition f chiote
adolescent m, **adolescente** f padrôstak
adresse f adrièsse
adulte m/f vz-rôsli
aéroport m aèraporte
affaires fpl (commerce) biznèsse
affiche f aficha
affreux oujasni
after-shave m adièkalône pôsliè britia
âge m vôze-raste; **quel âge avez-vous ?** skolka vame liète?
agence f aguiène-te-stva

agence de voyages f biourô poutièchièste-vi
agenda m zapisnaya knijka-kalène-dar
agent de police m militsianière
agneau m yague-nionak
agrandissement m ouvièli-tchièniyè
agréable priyatni
agressif agrièssivni
agriculteur m fèrmière
aide f pômache (f)
aider pamagate/pamôtche
aiguille f igolka
ail m tchisnôk
aile f krilô
ailleurs fdrougome mièstiè
aimable loubièze-ni
aimer n-ravitsa; **j'aime bien** mniè n-ravitsa; (d'amour) loubite/paloubite; **j'aimerais** ya ratièle bi
air m vôze-dour; **avoir l'air** vigliadiète
alarme f trèvôga
alcool m alkagôle
algues fpl vôde-rosli
allaiter karmite groudiou
Allemagne f Guèrmaniya
allemand nèmiète-ski
aller (à pied) ide- ti/radite; (par transport) yèrate/yèze-dite; **comment allez-vous ?** kak pajéve-aètiè?; **allez-vous en !** ouraditiè!; **il va bien/mal** one zdarôfe/nièzdarôfe; **le bleu vous va bien** vâme idiote sini tsvièteе

allergie (à) *f* allièrguiya (na)
aller retour *m* abratni bilième
aller simple *m* bilième vadine kaniètse
allumage *m* zajiganiyè
allumer (*feu*) zajigate/zajiètche; (*lumière*) fklioutchate/f-klioutchite
allumette *f* spitche-ka
alors tagda; **alors !** tak!
alternateur *m* altièrnatar
ambassade *f* passôlse-tva
ambulance *f* skôraya pômache
améliorer ouloute-chate/ ouloute-chite
amende *f* chtrafe
amer gôrki
américain amièrkane-ski
Amérique *f* Amièrika
ami *m*, **amie** *f* droug (*m*); padrouga (*f*); **petit ami** droug; **petite amie** padrouga
amortisseur *m* âmar-tizatar
amour *m* lioubôfe
ampère: de 13 ampères 13 ame-pièrni
ampoule *f* (*électrique*) lâme-patchka; (*au pied*) valdir
amuser: s'amuser vièssièlitsa; **amusez-vous bien !** vièssièlitièsse!
an *m* gôde; **j'ai 25 ans** mniè 25 lième
analgésique *m* boliè-outalia-youchèyè srième-stva
ananas *m* ananasse
ancêtre *m* prièdok
ancien (*vieux*) drième-ni; **c'est un objet ancien** èta antikvarnaya vièche
angine *f* ane-djina
angine de poitrine *f* stiène-akardiya

anglais ane-gliski
Angleterre *f* Ane-gliya
animal *m* jévôte-nayè
année *f* gôde; **bonne année !** s'Nôvome gôdome !
anniversaire *m* dième raje-dièniya
anniversaire de mariage *m* gadave-china svade-bi
annuaire *m* téléfôni sprava-tchnik
annuler ate-miène-yate/ate-miènite
anorak *m* kourtka
antibiotique *m* ane-tibiotik
antigel *m* ane-tifrize
antihistaminique *m* ane-tiguistâmine
anti-insecte: une crème anti-insecte srième-stva ate nassièkômère
antiquaire *m* (*magasin*) ane-tik-varni magazine
août *m* ave-gouste
apéritif *m* apièritiffe
appareil *m* oustroïstva
appareil-photo *m* fôta-apparate
appartement *m* kvartira
appartenir prinade-lièjate
appeler zvate/pazvate; **comment vous appelez-vous ?** kak vasse zavoute?; **je m'appelle Paul** mènia zavoute Paul
appendicite *f* apiène-ditsite
appétit *m* apiètite; **bon appétit !** priyate-nava apiètita!
apporter prinassite/prinièsti
apprendre outchitsa
après pôsliè (+ *gén*)
après-demain posliè-zaftra
après-midi *m* dniome

araignée f paouk
arbre m dièrèva
arc-en-ciel m radouga
archéologie f ar-ʀiè-aloguia
argent m (pour payer) diène-gui; (métal) sièrèbrô
Armée Rouge f Krasnaya Armiya
Arménie f Armièniya
armoire f chkaf
arôme m aramate
arrêt m astanôfka
arrêt de bus m astanôfka ave-tôboussa
arrêter véklioutchate/véklioutchite; (coupable) arièstavate; arrêtez ! astane-avitièsse!; s'arrêter astane-ovitsa
arrière m zade-niaya tchaste
arrivée f priyèzde
arriver priyèjate/priyèʀate; (se passer) sloutchitsa
art m iskousse-tva
artificiel iskousse-tvièni
artisanat m rèmièsse-lièniyè izdièliya
artiste m/f ʀoudôje-nik
ascenseur m lift
asperges fpl sparja
aspirateur m pilièssôsse
aspirine f aspirine
asseoir: s'asseoir saditsa/sièste
assez (de) dastatatchna
assez (plutôt) davôlna
assiette f tarièlka
assurance f straʀavaniyè
asthme m astma
astucieux oumièli
attaque f napadièniyè; (cardiaque) oudar
attendre jdate/padajdate; attendez-moi ! padaje-ditiè

mènia!
attention ! astarôje-na!
atterrir prizème-liatsa/prizème-litsa
attraper lavite/païmate
auberge de jeunesse f obche-jitiyè
aubergine f baklajane
au-dessus de nade (+ instr)
audiophone m slouʀavoï apparate
aujourd'hui sèvôdnia
aussi takjiè; moi aussi ya tojiè; aussi beau que takjiè krassiva kak
authentique nastayachi
autobus m ave-tôbousse
automatique ave-tamati-tchèski
automobile f ave-tamabil
automobiliste m/f ave-tamabiliste
autoroute f ave-tastrada
autre drougoï; un autre drougoï; autre chose chtô-ta drougoyè
Autriche f Ave-striya
avaler glatate/praglatite
avance: en avance rana; d'avance zaraniè
avant do (+ gén); juste avant pièriède (+ instr)
avant m pèriède-niaya tchaste
avant-hier pazave-tchièra
avec s (+ instr)
averse f livième
aveugle slièpoï
avion m samale-yote; par avion samaleyotame; (courrier) avia pôtche-toï
avocat m advakate
avoir imièite; avez-vous ... ? ou vasse yèste ...?; je n'ai pas de ... ou mènia niète ...

avril aprièle

B

bac *m* parôme

bagages *mpl* bagaje; **faire ses bagages** oukladivate/oulajite vièchi

bagages à main *mpl* routchenaya klade

bagarre *f* draka

bague *f* kaltsô

baigner: se baigner koupatsa

baignoire *f* vane-na

bain *m* vane-na

baiser *m* patsèlou-i

balcon *m* balkône

balle *f* miatche

ballon *m* vaze-douchni char

banane *f* banane

bande magnétique *f* magnitafônaya kassièta

banlieue *f* prigarade

banque *f* bane-ke

bar *m* bar

barbe *f* barada

barman *m* barmiène

barrière *f* zabôre

bas *mpl* tchoulki

bas nizki; **en bas** *(dans maison)* vnizou

bateau *m* karable

bateau à rames *m* grièbe-naya chlioupka

bateau à voile *m* paroussnik

bâtiment *m* zdaniyè

batterie *f* akoumouliatar

battre: se battre dratsa

baume après-shampoing *m* balzâme dlia valôsse

beau *(agréable, bon)* ʀaôchi; *(personne etc)* krassivi; **il fait beau** ʀaôchaya pagôda

beaucoup *(de gens)* mnôgiyè; **beaucoup (de)** mnôga (+ *gén)*; **pas beaucoup de temps** mala vrémièni

beau-fils *m* ziate

beau-frère *m* chourine

beau-père *m* *(mari de la mère)* ate-tchime; *(père du mari)* sviokar; *(père de la femme)* tièste

bébé *m* rièbionak

beige bièjièvi

belge bièle-guiski

Belgique *f* Bièle-guia

belle-fille *f* snaʀa

belle-mère *f* matchèʀa; *(mère de l'épouse)* tiocha; *(mère du mari)* svièkrôfe

belle-sœur *f* svayatchiène-itsa

béquilles *fpl* kastili

besoin: j'ai besoin de . . . mniè nouje-na . . .

beurre *m* masla

bibliothèque *f* bibliatièka

Bibliothèque Lénine *f* bibliatièka imièni Lénina

bicyclette *f* vièlassipiède

Biélorussie *f* Bièlaroussiya

bien ʀaʀachô; **très bien !** ʀaʀachô!

bien que ʀatia

bien sûr kanièchna

bientôt skôra

bienvenue ! dabrô pajalavate!

bière *f* piva

bière blonde *f* sviètloyè piva

bijouterie *f* youvèlirni magazine

bijoux *mpl* youvèlirniyè izdièliya

FRANÇAIS-RUSSE

bikini *m* bikini
billet *m* biliète
billet de banque *m* bane-ke
    nôta
bizarre strani
blaireau *m* (*pour se raser*) kista-
    tchka dlia britia
blanc bièli
blanchisserie *f* pratchiè-
    tchnaya
blessé ranièni
blessure *f* rana
bleu (*couleur*) sini; (*steak*)
    skrôviou
bleu *m* (*sur la peau*) siniak
blond bièlakouri
bœuf *m* (*viande*) gaviadina
boire pite/vipite
bois *m* dièrèva
boisson *f* napitok
boîte *f* karôpe-ka
boîte à lettres *f* patche-tôvi
    yachik
boîte de nuit *f* natchnoï kloub
boîte de vitesses *f* karôpe-ka
    pièrèdatche
bombe *f* bome-ba
bon (*personne, qualité*) ʀarôchi;
    (*nourriture*) fkousni
bonbon *m* kane-fièta
bonde *f* prôpe-ka
bondé pèrèpôlnièni
bonjour zdraste-voutiè; (*le
    matin*) dôbroyè outra
bon marché dièchovi
bonnet de bain *m* koupalnaya
    chapatchka
bonsoir dôbri viètchère
bord *m* kraille; **au bord de la
    mer** na bèrègou moria
botte *f* sapôg
bottes de caoutchouc *fpl*
    rèzinaviyè sapagui

bouche *f* rôte
bouché zassôrièni
boucherie *f* miasnoï magazine
boucles d'oreilles *fpl* sière-gui
bouger chèvèlitsa/chèvèle-
    noutsa
bougie *f* sviètcha; (*de voiture*)
    sviètcha zajiganiya
bouillir kipiatite
boulangerie *f* boulatchnaya
boussole *f* kome-passe
bouteille *f* boutilka
boutique hors taxes *f* magazine
    bièsse-pôchlinoï targôvli
bouton *m* (*de vêtement*)
    pougavitsa; (*sur la peau*)
    prichik
bracelet *m* brasliète
bras *m* rouka
brique *f* kirpitche
briquet *m* zajigalka
britannique britane-ski
broche *f* brôche
bronzage *m* zagar
bronzer zagarate/zagariète; **se
    faire bronzer** zagarate
brosse *f* chiotka
brosse à dents *f* zoubnaya
    chiotka
brouillard *m* toumane
bruit *m* choume
brûler gariète/sgariète
brûlure *f* ajog
brun karitchnièvi
bruyant choume-ni
Bulgarie *f* Balgariya
bureau *m* biourô

ça èta; **ça va ?** kak dièla?; **ça**

59

va ou **ména** fsio fpariade-kiè
cabas m soume-ka
cabine f kayouta
cabine téléphonique f
tèlèfônaya boudka
cacahuètes fpl araRisse
cacao m kakao
cacher skrivate/skrite
cadeau m padarak
cafard m tarakane
café m (bistro) kafè; (boisson)
kôfiè
café soluble m raste-varimi kôfiè
caféine: sans caféine bièze
kofëïna
cahier m blak-nôte
caisse f kassa
calculette f kalkouliatar
calendrier m kalène-dar
calmer ouspakaïvate/
ouspakoïte; **calmez-vous**
ouspakoïtièsse
caméra f kinakâmièra
camion m grouzavik
camionnette f fourgone
campagne f dièriève-nia
camping m (terrain) kième-
pine-gue
Canada m Kanada
canadien kanadiètse
canal m kanal
canard m outka
canif m pèrôtchini nôjik
canoë m kanôè
caoutchouc m rèzina
capitaine m kapitane
capot m kapôte
car m mièjedou-garôdni ave-
tôbousse
caravane f ave-tafourgône
carburateur m karbiuratar
carnet d'adresses m adrièsnaya
kniga

carotte f markôfe
carte f (à jouer) kartatchka;
(géographique) karta; (des
mets) mèniu
carte de crédit f krèditnaya
kartatchka
carte d'embarquement f
passadatchni talône
carte des vins f karta vine
carte de visite f vizitnaya kartatchka
carte postale f ate-kritka
carton m (boîte) karôpe-ka;
(matière) kartone
cascade f vadapade
casquette f fourajka
cassé slômani
casser lamate/slamate
casserole f kastroulia
cassette f kassièta
cathédrale f sabôre
catholique m katolik
Caucase m Kafkaze
cauchemar m kachmar
cause f pritchina; **à cause de**
ize-za (+ gén)
ce, cette (ce ... ci) ètate m, èta
f/n; (ce ... là) tôte m, ta f, tô n
ceci èta
ceinture f pôyasse
ceinture de sécurité f priviaznoï
rèmiène
cela èta
célèbre znâmiène-iti
célibataire (homme) niè jènate;
(femme) niè zâmoujème
célibataire m Ralastiak
celui-ci, celle-ci vôte èta
celui-là, celle-là tô
cendrier m pèpièlnitsa
centre m tsiène-teur
centre commercial m targôvi
tsiène-teur

FRANÇAIS-RUSSE

centre-ville *m* tsiène-teur gôroda
cerise *f* vichnia
certificat *m* oudaste-vèrèniè
ces èti; (*voir grammaire*)
c'est èta
cette (*voir CE*)
chaîne *f* (*tour de cou*) tsèpôtchka
chaise *f* stoul
chaise longue *f* chèze-longue
chaleur *f* jara
chambre *f* kôme-nata; (*hôtel*) nomière; **chambre pour une personne/deux personnes** nomière na adnavó/na dvaïʀ
chambre à air *f* ave-tamabilnaya kamièra
chambre à coucher *f* spalnia
champ *m* pôliè
champignons *mpl* gribi
chance *f* oudatcha; **bonne chance !** jèlayou ouspièʀa!
changement *m* (*de train*) pèrèssadka
changer mèniate/pamèniate; **se changer** père-adiètsa; **changer de train** zdièlate pèrèssadkou
chanson *f* pièsnia
chanter piète
chapeau *m* chliapa
chapeau en fourrure *m* mièravaya chape-ka
chaque kaje-di
chariot *m* tèlièjka
charter *m* tchar-tièrni rèsse
chat *m* kôchka
château *m* zâmak
chaud gariatchi; **il fait chaud** tièplô
chauffage *m* ataplièniyè
chaussettes *fpl* naski
chaussures *fpl* toufli

chaussures de ski *fpl* lije-niyè batine-ki
chauve lissi
chemin *m* poute
chemin de fer *m* jèlièze-naya darôga
chemise *f* roubachka
chemise de nuit *f* natchnaya roubachka
chemisier *m* blouzka
chèque *m* tchèk
chèque de voyage *m* darôje-ni tchèk
chéquier *m* tchièkavaya knijka
cher daragoï
chercher iskate
cheval *m* lôchade
cheveux *mpl* vôlassi
cheville *f* ladichka
chewing-gum *m* je-vatchka
chez: **chez Tania** ou Tani; **chez moi** (*dans mon pays*) na rôdiniè
chien *m* sabaka
Chine *f* Kitaille
chips *fpl* ʀ-roustiachi kartofièle
choc *m* chok
chocolat *m* chokalade; **chocolat chaud** chokalade-ni napitok
choisir vibirate/vibrate
chômage: **au chômage** bièze-rabôtni
chose *f* vièche
chou *m* kapousta
chou à la crème *m* èklère
chou-fleur *m* tsvètnaya kapousta
choux de Bruxelles *mpl* broussièle-skaya kapousta
ciel *m* nièba
cigare *m* sigara
cigarette *f* sigarièta

61

cimetière *m* klade-bichè
cinéma *m* kinô
cintre *m* vièchalka
cirage *m* krième dlia ôbouvi
circulation *f* oulitchnoyè dvijèniyè
ciseaux *mpl* nôje-nitsi
citron *m* limône
clair yasni
classe *f* klasse
clé *f* klioutche
clé anglaise *f* gayètchni klioutche
clignotant *m* oukazatièle pavarôta
climat *m* klimate
climatisation *f* kane-ditsiani-ravaniyè vôzdouRa
climatisé kane-ditsiani-ravani
cloche *f* kôlakal
clou *m* gvôzde
club *m* kloube
cochon *m* svinia
cocktail *m* kaktiéle
code de la route *m* pravila darôje-nava dvijèniya
cœur *m* sière-tsè
coffre *m* (*de voiture*) bagaje-nik
cognac *m* kaniak
coiffeur *m* (*salon*) parik-maRière-skaya
coin *m* ougal
col *m* (*de vêtement*) varate-nik; (*de montagne*) pièrèval
colis *m* passilka
collants *mpl* kalgôti
colle *f* klé
collection *f* kalièktsiya
collier *m* ajèrèliè
colline *f* Rôlme
collision *f* stalknaviènyè
combien ? skolka? (+ *gén*);

c'est combien ? skolka stô-ite?
commander zakazivate/zakazate
comme (*de la même manière que*) kak; (*parce que*) tak kak; comme ceci tak; comme ci comme ça tak-sèbiè
commencer natchinate/natchate
comment ? kak?; (*pardon ?*) prastitiè?; comment aller à ...? kak mniè dabratsa do ...?
commissariat *m* ate-dièliènyè militsi-i
compagnie aérienne *f* aviakame-pania
compartiment *m* koupè
complet *m* kastioume
compliment *m* kame-plimiène-te
compliqué slôje-ni
comprendre panimate/paniate
comprimé *m* tabliètka
compris (*inclus*) fkloutchoni ftsiènou
comptant: payer comptant platite nalitche-nami
compteur de vitesse *m* spidomièteur
concert *m* kane-tsièrte
concombre *m* agouriètse
conducteur *m* vaditièle
conduire vadite/vièsti
confirmer pade-tvière-jdate/pade-tvière-dite
confiture *f* varènniè
confortable oudôbe-ni
congélateur *m* marazilka
connaître znate
consigne *f* kâmièra Rraniènia
constipé: je suis constipé ou mènia zapôr

FRANÇAIS-RUSSE

consulat *m* kône-soule-stva

contacter sviazivatsa/sviazatsa s

content rade; (*satisfait*) davôle-ni

contraceptif *m* prôtiva-zatchata-tchnoyè srièste-stva

contractuel *m* règoulirôfe-chik

contraire *m* prativapalôje-naste

contre prôtife

coqueluche *f* kak-louche

coquetier *m* rioume-ka dlia yaïtsa

coquillage *m* rakouchka

coquin naRalni

corde *f* kanate

cordonnier *m* rièmone-te ôbouvi

corps *m* tièla

correct pravilni; **c'est correct** pravilna

correspondance *f* (*de trains*) saglassô-vanaste raspissaniya

corridor *m* karidôr

Cosaque *m* kazak

côte *f* (*rive*) bièrègue; (*du corps*) rièbrô

côté *m* starana; **à côté (de)** riadame s (+ *instr*)

côtelette *f* ate-bive-naya katlièta

coton *m* Rlôpak

coton hydrophile *m* vata

cou *m* chèya

couche *f* (*de bébé*) pèlione-ka

coucher: se coucher lajitsa/liètche

coucher de soleil *m* zakate

couchette *f* spalnoyè mièsta

coude *m* lôkate

coudre chite

couleur *f* tsvietè

coup *m* oudar; **tout à coup** vdroug

coup de soleil *m* sôlniètchni ajog

coupe de cheveux *f* strijka

coupe-ongles *m* manikiour-niyè nôje-nitsi

couper rièzate

courageux R-rabri

courant *m* (*électrique*) tôk; (*de rivière*) tètchèniyè; **courant d'air** skvaze-niak

courir biègate/bièjate

courrier *m* pôtche-ta

courroie du ventilateur *f* rèmièni vène-tiliatora

cours du change *m* kourse valiouti

court karôtki

cousin *m* **cousine** *f* kouzine (*m*), kouzina (*f*)

couteau *m* nôje

coûter stô-ite

coutume *f* abitchaille

couvercle *m* kriche-ka

couverts *mpl* stalôviyè pribôri

couverture *f* adièyala

crabe *m* krab

crampe *f* soudaraga

crâne *m* tchièrièpe

cravate *f* galstouk

crayon *m* karane-dache

crème *f* slivki

crème Chantilly *f* v-zbitiyè slivki

crème démaquillante *f* krièmе dlia sniatiya kasmiètiki

crème hydratante *f* ouvlaje-niayouchi krièmе

crêpe *f* bline

crevaison *f* prakôle

crevé: un pneu crevé spouchènaya china

crevette *f* krèviètka

cric *m* dame-krate

crier kritchate/zakritchate
Crimée f Krime
crise cardiaque f sère-diètchni pristoupe
croire vièrite/pavièrite
croisement m pièrèkriostak
croisière f krou-ize
cru siroï
crustacés mpl maliouski
cuiller f lôjka
cuir m kôja; **en cuir** kôjani
cuire gatôvite
cuisine f kouʀ-nia
cuisinier m pôvar
cuisinière f (appareil) douʀôfeka
cuisse f bièdrô
cuit: bien cuit ʀarachô prajarièni; **trop cuit** pèrèvarièni; **mal cuit** (pas assez frit) nièdajarièni; **mal cuit** (pas assez bouilli) nièdavarièni

D

daim: en daim zame-chèvi
dame f dama
danger m apasnaste
dangereux apasni
dans v/na (+ prép/acc: voir grammaire)
danser tane-tsièvate
date f tchislô
de (appartenance) (génitif: voir grammaire); **la voiture de Sonia** machina Sôni; **de Moscou à Léningrad** at Maskvi do Lénine-grada; **du vin/de la farine/des biscuits** vina/mouki/pètchiènia; **avez-**

vous du beurre/des bananes ? ou vasse yèste masla/banani?
début m natchala
débutant m dèbiutane-te
décembre dèkabeur
décider rèchate/rèchite
décoller vilièate/viliètite
déçu: je suis déçu ya razatcharôvane
défaire: défaire (sa valise) raspakavate (tchèmadane)
défectueux ispôr-tchèni
défendu: il est défendu zaprièchinô
dégoûtant ate-vratitièle-ni
dehors na oulitsiè; **dehors !** vône!
déjà oujè
déjeuner m abiède
delco m rasprèdiè-litièle zajigania
délicieux fkousni
demain zaftra
demander sprachivate/ sprassite
démangeaison f zoude
démaquillant m lassione dlia sniatiya kasmiètiki
demi: un demi-litre pol-litra; **une demi-heure** poltchassa
demi-pension f dvouʀ-razavayè pitaniyè
dent f zoube
dentier m zoubnoï pratièze
dentifrice m zoubnaya pasta
dentiste m zoubnoï vratche
déodorant m dièzodorane-te
départ m atièzde
dépêcher: se dépêcher spièchite; **dépêchez-vous !** bistréyé!
dépendre: ça dépend èta zavissite

64

dépenser tratite
dépliant *m* brachoura
dépression *f* nièrve-noyè rastroïstva
déprimé padave-lièni
depuis (que) s tièRe pôre kak
déranger mièchate; **ça vous dérange si je ...** vi niè vaze-rajayètiè yèsli ya ...
déraper skalzite
dernier passlièdni; **l'année dernière** *f* prôchlame gadou
derrière za (+ *instr*)
derrière *m* (*du corps*) zade
des (*voir DE*)
désagréable nièpriyatni
désastre *m* katastrôfa
descendre spouskatsa/spoustitsa; (*de véhicule*) viRadite/viti
désinfectant *m* dèzine-fitsirou-youchèyè sriète-stva
désolé: je suis désolé prastitiè
dessert *m* dèssièrte
dessous pode (+ *instr*)
détendre: se détendre ras-labitsa
détester niènavidiète
devant pièriède (+ *instr*)
développer prayavliate/prayavite
devenir stanôvitsa/state
devoir: je dois/elle doit ... mniè/yé nada ...
diabétique diabiètik
dialecte *m* dialièkte
diamant *m* (*pierre*) almaze; (*bijou*) briliane-te
diapositive *f* slaille-de
diarrhée *f* panôsse
dictionnaire *m* slavar
Dieu *m* bog
différent razniè

difficile troudni
dimanche vaskrièssièniè
dinde *f* ine-diéka
dîner *m* oujine
dîner oujinate
dire gavarite/skazate
direct priamoï
direction *f* naprave-lièniyè; (*de voiture*) roulièvoyè ouprave-lièniyè
discothèque *f* diskatièka
disparaître isse-chèze-noute
disquaire *m* grame-plastine-ki
disque *m* plastine-ka
disque compact *m* kame-pakt disk
dissolvant *m* jide-kaste dlia sniatiya laka
distance *f* rastayaniyè
distribanque *m* bane-ke ave-tamate
divorcé razvièdione (*m*)/ razvièdèna (*f*)
docteur *m* vratche
document *m* dokoumiène-te
doigt *m* paliètse
dommage: c'est dommage jal
donner davate/date
dormir spate
dos *m* spina
douane *f* tamôjnia
double dvaï-noï
doubler (*en voiture*) abe-ganiate/abague-nate
douche *f* douche
douleur *f* bole
douloureux: c'est douloureux bôlna
doux (*au toucher*) miaR-ki; (*au goût*) sladki
drap *m* prastinia; **les draps de lit** pastièle-nayè bilio
drapeau *m* flag ФЛАГ

drogue f narkotik

droit: tout droit priama

droite pravi; **à droite (de)** sprava (ote)

drôle zabave-ni

du (*voir* DE)

dur (*résistant*) tviordi; (*difficile*) troudni

duvet m stioganayè adièyala

eau f vada

eau de toilette f adièkalône

eau minérale f minèrale-naya vada

eau potable f pitièvaya vada

échanger mèniate/pamèniate

écharpe f charfe

école f chkola

école de langues f ine-stitoute inastranir yazikofe

écouter slouchate/paslouchate

écrire pissate/napissate

écrou m gaïka

église f tsière-kafe

élastique m rièzinavaya tièsma

élastique èlastitchni

électricité f èlèktritchèstva

électrique èlèktritchèski

électrophone m pra-igrivatièle

elle ana; (*objet etc*) yèyo; (*voir grammaire*)

emballer zavièrnoute

embouteillage m prôpe-ka

embranchement m raze-vilka

embrasser tsèlavate/patsèlavate

embrayage m stsèplièniyè

emmener pade-vazite/pade-vièze-ti

emporter: à emporter na vinasse

emprunter (*de l'argent*) zanimate/zaniate

en: en France va Frane-tsi-i; **en français** pa-frane-tsouski; **en 1945** ve 1945 gadou; **en voiture** na machiniè

enceinte bèrièmènaya

enchanté ! ôtchène priyatna!

encore yècho; **encore une bière** yècho adnó piva; **encore plus beau** yècho boliè krassivi; **pas encore** yècho niète

endommager vrèdite/pavrèdite

endormi: il est encore endormi one spite yècho

enfant m rièbionak

enfin nakaniètse

enflé apourchi

enlever oubirate/oubrate

ennuyeux (*désagréable*) dassadna; (*lassant*) skoutchni

enregistrement des bagages m règui-stratsiya bagaja

enrhumé: je suis enrhumé ou mènia nasmark

enseignant m outchitièle

enseigner na-outchite

ensemble vmièstiè

ensoleillé sôlniè-tchni

ensuite patome

entendre slichate/ouslichate

enterrement m pôrarani

entier tsèli

entre mièje-dou (+ *instr*)

entrée f frôde; (*de repas*) pière-voyè bliouda

entrer fradite/vaïti; **entrez !** vaïditiè!

enveloppe f kane-vièrte

envie: j'ai envie de ... mniè rôtchètsa ...

environ ôkala (+ *gén*)

envoyer passilate/paslate
épais goustoï
épaule *f* pliètchô
épicerie *f* bakalièya
épileptique èpilièptik
épinards *mpl* chpinate
épingle *f* boulafka
épingle de nourrice *f* ane-gliskaya boulafka
épouvantable oujasni
équipage *m* èkipaje
équipe *f* kamane-da
équitation *f* vière-Ravaya yèze-da
erreur *f* achibe-ka
escalier *m* lièsse-nitsa
Espagne *f* Espaniya
espagnol ispane-ski
espérer nadièyatsa
essayer staratsa/pastaratsa; (*vêtement*) pamièrite
essence *f* biène-zine
essieu *m* osse
essuie-glace *m* dvôrnik
est *m* vastôk; **à l'est (de)** ke vastokou (ote)
estomac *m* jèloudak
et i
étage *m* ètâje
étang *m* proude
état *n* gassoudare-stva
Etats-Unis *mpl* Sayèdinioniyè Chtati Amièriki
été *m* lièta
éteindre viklioutchate/vikliou-tchite
éternuer tchiRate/tchiR-noute
étiquette *f* yarlik
étoile *f* zvièze-da
étonnant oudivitièle-ni
étranger *m*, **étrangère** *f* inastraniètse (*m*), inastrane-ka (*f*); (*adjectif*) inastrani; **à**

l'étranger za granitsé
être bite; (*voir grammaire*)
étroit ouzki; (*vêtement*) tièsni
étudiant *m* stoudiène-te
étudiante *f* stoudiène-tka
eurochèque *m* yèvratchèk
Europe *f* Yèvrôpa
européen yèvrapéski
eux, elles (*voir grammaire*)
évanouir: s'évanouir padate/oupaste fôbmarak
évident: c'est évident èta atchièvidna
évier *m* rakavina
exagérer priè-ouvièli-tchite
excédent de bagages *m* lichni vièsse bagaja
excellent atlitchni
excursion *f* payèzte-ka
excuser: s'excuser izviniatsa/izvinitsa; **excusez-moi** izvinitiè
exemple *m* primière; **par exemple** naprimière
exiger trièbavate
expliquer abiasse-niate/abiasse-nite
exposition *f* vistafe-ka
exprès (*délibérément*) narôtchna; **par exprès** snarôtchnime
extincteur *m* ague-niè-touchi-tièle

face: en face de ... naprôtife...
fâché sière-diti
facile liorki
facteur *m* pachtalione

faible slabi

faim: j'ai faim ya galôdiène (m)/ya galadna (f)

faire dièlate/zdièlate; ça ne fait rien nièvaje-na

falaise f skala

famille f sèmia

fantastique vièlikalièpe-ni

farine f mouka

fatigué oustali; je ne suis pas fatigué ya niè oustal

fauché: je suis fauché ou mènia ni kapiéki diènièk

faute: c'est de ma/sa faute ya vinavate/ana vinavata

fauteuil m krièsse-la

fauteuil roulant m krièsse-la katale-ka

faux (pas vrai) lôje-ni; (incorrect) nièpravilni

félicitations ! pazdravlia-you!

féministe fèministe

femme f jiène-china; (épouse) jièna

femme de chambre f gôrni-tchnaya

fenêtre f aknô

fer m jèlièza

fer à repasser m outioug

ferme f fièrma

fermé zakrita

fermer zakrivate/zakrite; fermer à clé zapirate/zapirète

fermeture éclair f zastiojka molniya

ferry-boat m parôme

fête f praze-navaniyè

feu m agône; avez-vous du feu ? ou vasse vasse yèste prikourite?

feuille f liste

feux arrière mpl zade-niyè fari

feux d'artifice mpl féyère-vièrki

feux de position mpl pade-farniki

feux de signalisation mpl sviètafôre

février fièvral

fiancé m, fiancée f jène-iR (m), nivièsta (f)

fiancé abroutchoni

ficelle f vèriofka

fier gôrdi

fièvre f liRaratka

fil m nitka

fil de fer m prôvalaka

filet m (viande) filé

fille f dièvouche-ka; (de parents) dotche

fillette f dièvatche-ka

film m kinafilm

fils m sine

filtre m filteur

fin f kaniètse

fin prèkrasni

fini kône-tchièni

finir kane-tchate/kône-tchite

Finlande f Fine-lane-diya

fixation f krèpe-lièniyè

flash m fspiche-ka

fleur f tsviètok

fleuriste m tsviètôtchni magazine

flirter kakiète-nitchate

foie m piètchène

foire f yarmarka

fois f raze; une fois adine raze; chaque fois kaje-di raze

fond m dno; au fond de na dniè

fond de teint m tanalni krième

fontaine f fantane

football m foutbol

forêt f lièsse

forme: en forme zdarôvi

formulaire m blane-k

fort silni; (*sensation*) grôme-ki
fou souma-chiède-chi
foulard *m* platok
foule *f* talpa
fouler: je me suis foulé ... ya rastianoule sèbiè...
four *m* dourôfka
fourchette *f* vilka
fourmi *f* mouravié
fourrure *f* mièRe
fracture *f* pièRèlôme
frais (*temps*) praR-lade-ni; (*fruits*) svièji
fraise *f* kloube-nika
framboise *f* malina
français frane-tsouze-ski; (*langue*) frane-tsouze-ski yazik
Français *m* frane-tsouze
Française *f* frane-tsoujène-ka
France *f* Frane-tsiya
frapper oudariate/oudarite
frein *m* tarmôze
frein à main *m* routche-noï tarmôze
freiner tarmazite/zatarmazite
frère *m* brate
frigo *m* Raladil-nik
frire jarite
frites *fpl* jarièni kartofièle
froid Ralôdni
fromage *m* sire
front *m* lôbe
frontière *f* granitsa
fruits *mpl* froukti
fruits de mer *mpl* mare-skiyè pradouke-ti
fuite *f* (*de tuyau*) tiètche
fumée *f* dime
fumer kourite/zakourite
fumeurs (*compartiment*) vagône dlia kouriachiR
furieux vz-bièchoni

fusible *m* prèda-Rranitièle
fusil *m* vine-tôve-ka
futur *m* boudouchèyè

G

gagner vigrate; (*salaire etc*) zarabativate/zarabôtate
gants *mpl* père-tchatki
garage *m* stane-tsiya tièreabsloujévaniya; (*parking*) garaje
garantie *f* garane-tiya
garçon *m* (*enfant*) male-tchik; (*serveur*) afitsiâne-te
garder saRRaniate/saRRanite
gare *f* vak-zal
garer: se garer pastavite machinou na stayane-kou
gare routière *f* ave-ta vak-zal
gâteau *m* piRôje-noyè; **petit gâteau** pètchièniè
gauche *f* lièvaya starana; **à gauche (de)** nalièva
gaucher lïève-cha
gaz *m* gaze
gazeux gazirôvani
gel *m* marôze
genou *m* kalièna
gens *mpl* liouid
Géorgie *f* Grouziya
gibier *m* ditche
gilet *m* kôfta
gin *m* djine
gin-tonic *m* djine stonikame
glace *f* (*eau gelée*) liode; (*à manger*) marôjènayè
glaçon *m* liode dlia napite-kaffe
glissant skole-zki
golf *m* golf
gomme *f* lastik

gorge f gôrla
goût m fkousse
goûter m pôldnik
goûter prôbavate/paprôbavate
goutte f kaplia
gouvernement m pravitièle-stva
grammaire f gramatika
grand balchoï; (*haut*) vissôki
Grande-Bretagne f Vièlika-
britaniya
grand magasin m ounivièrmag
grand-mère f babouche-ka
grand-père m dièdouche-ka
gras m jire
gras jirni
gratuit bièsse-platni
grec grièk
grêle f grade
grillé pade-jarièni
grippe f grippe
gris sièri
gros (*personne*) tolsti
grossier groubi
grotte f pèchièra
groupe m groupa
groupe sanguin m groupa krôvi
guêpe f assa
guerre f vaïna
gueule de bois f paR-mèliè
guichet m bilière-naya kassa;
(*de théâtre*) têâtrale-naya
kassa
guide m (*personne*) guide;
(*livre*) poutiè-vaditièle

habiller adièvate/adiète;
s'habiller adièvatsa/adiètsa
habiter jite
habitude f privitche-ka;

d'habitude abitche-na
habituel abiknavièni
hamburger m game-bourguière
hanche f bièdrô
handicapé m **handicapée** f
invalide
haricots mpl fassôle
hasard m sloutchaille; **par
hasard** sloutchaïna
haut vissôki; **en haut** navière-
Rou; (*dans maison*) navière-
Rou
hémorroïdes fpl guèmaroï
herbe f trava; **des fines herbes**
travi
heure f tchasse; **quelle heure
est-il ?** katôri tchasse?; **à
l'heure** vôvrèmia
heureusement kchastiou
heureux chaste-livi
hier f-tchèra
histoire f (*passé*) istôria; (*conte,
etc*) raskaze
hiver m zima
hobby m Robi
Hollande f Galane-dia
homard m amar
homme m mouje-china
homosexuel gama-sèksou-
aliste
Hongrie f Viène-griya
honnête tchèste-ni
honte: j'ai honte mniè stide-
na
hôpital m balnitsa
hoquet m ikata
horaire m raspisaniyè
horloge f tchassi
horrible oujasni
hors-bord m matôrnaya lôtka
hors taxes bièsse-pôche-lini
hospitalité f gastèpriime-stva
hôtel m gasti-nitsa

hôtesse de l'air f stiouardèssa
huile f masla
huile solaire f masla dlia zagara
huître f oustritsa
humeur f nastrayèniyè
humide siroï
humilier abijate/abidiète
humour m youmar

ici zdièsse
idée f idièya
idiot m idiote
il one; (*voir grammaire*)
île f ôstrafe
ils ani; (*voir grammaire*)
immédiatement nièmièdie-lièna
imperméable m plache
important vaje-ni
impossible: c'est impossible
  nièvaze-môje-na
imprimé m pètchatni matèrial
incendie m pajare
incroyable niè-vièrayatni
indépendant niè-zavissimi
indicatif m (*téléphonique*)
  tèlèfôni kode
indigestion f rastroïstva
  jèloude-ka
industrie f pramiche-liènaste
infection f zarajièniyè
infirmière f mède-sièstra
innocent: je suis innocent ya
  niè vinavate
insecte m nassè-kômoyè
insolation f sôlniètche-ni oudar
insomnie f bièsse-sônitsa
instrument de musique m
  mouzikale-ni ine-stroumiène-
  te

insupportable niè-snôsse-ni
intelligent oume-ni
interdit: c'est interdit de ...
  zaprèchinô ...!
intéressant intèrièsni
intérieur: à l'intérieur
  vnoutri
interrupteur m vikliou-tchatièle
intoxication alimentaire f
  pichèvoyè atrave-lièniyè
invitation f prigla-chèniyè
invité m **invitée** f gôste (*m*),
  gôstia (*f*)
inviter priglachate/priglassite
Italie f Italiya
itinéraire m marche-route
ivre piani

jaloux rièvе-nivi
jamais nikagda; **avez-vous**
  jamais ... ? vi kagda-liba ...?
jambe f naga
jambon m viètchina
janvier yane-var
jardin m sade
jauge f izmèritièlni pribôr
jaune jolti
jazz m jazz
je ya; (*voir grammaire*)
jean m djine-si
jeter brassate/brôssite; (*à la*
  poubelle) vibrassite
jeu m igra
jeudi tchète-vièrgue
jeune maladoï; **les jeunes**
  maladiyè lioudi
jogging m biègue trousse-tsoï;
  faire du jogging
  biègate/bièjate trousse-tsoï

joli krassivi; (*charmant*)
prilièste-ni
jouer igrate/sigrate
jouet *m* igrouche-ka
jour *m* diène
jour férié *m* praze-nik
journal *m* gazièta; (*intime*)
dniève-nik
journée *f* soutki
juif *m* yèvré
juillet iyoule
juin iyoune
juive *f* yèvréka
jumeaux *mpl* blize-niètsi
jupe *f* youbka
jus *m* sok
jusqu'à do (+ *gén*)
juste (*équitable*) spravède-livi;
(*exact*) pravilni

K.G.B. *m* Ka-Guè-Bè
kilo *m* kilô
kilomètre *m* kilamièteur
klaxon *m* afe-tamabilni goudok
kleenex *mpl* (*R*) boumaje-niyè
nassaviyè platki
Kremlin *m* Krièmale
K-way *m* (*R*) kourtka ate daje-
dia

la (*pronom*) yèyo; (*voir*
grammaire*)
là tâme; il est là ? one tâme?
là-bas vône tâme; (*en bas*)
tâme vnizou

lac *m* ôzièra
lacets *mpl* chnourki
là-haut tâme navière-Rou
laid ourôde-livi
laine *f* chière-ste
laisser (*abandonner*) pakidate/
pakinoute; (*permettre*) raze-
rièchate/raze-rièchite
lait *m* malakô
lait solaire *m* lassione dlia
zagara
laitue *f* salate
lame de rasoir *f* brite-viènoyè
lièze-viyè
lampe *f* lame-pa
lampe de poche *f* fanarik
lancer brassate/brôssite
landau *m* diètse-kaya kaliaska
langouste *f* rak
langue *f* yazik
lapin *m* krolik
laque *f* lak dlia valôsse
large chirôki
lavabo *m* oumivale-nik
laver mite/pamite; se laver
pamitsa
lavomatic *m* pratchètche-naya
sama-absloujévaniya
laxatif *m* slabitièle-nayè
le (*pronom*) yèvô; (*voir*
grammaire*)
leçon *f* ourôk
lecteur de cassettes *m* kassiète-
ni magnitafône
léger lioR-ki
légumes *mpl* ôvachi
lent miède-lièni
lentement miède-lièna
lentilles de contact *fpl* kane-
takte-niyè line-zi
les (*voir* grammaire*)
lessive *f* bilio; (*en poudre*)
stiralni parachok; faire la

lessive stirate/pastirate

lettre *f* pismô; (*caractère*) bouke-va

leur (*adjectif*) iR; (*pronom*) ime; le/la leur iR (*voir grammaire*)

lever: se lever fstavate/fstate

levier de vitesses *m* ritchag pèrèkliou-tchièniya pièrèdatche

lèvre *m* gouba

librairie *f* knije-ni magazine

libre svabôde-ni

lime à ongles *f* pile-ka dlia nagtié

limitation de vitesse *f* agrani-tchièniyè skôrasti

limonade *f* limanade

linge sale *m* griaze-nayè biliô

liqueur *f* likior

lire tchitate/pra-tchitate

liste *f* spissak

lit *m* kravate

lit de camp *m* rasse-kladouche-ka

lit d'enfant *m* diètse-kaya kravatka

litre *m* liteur

lits superposés *mpl* dvour-ètâje-niyè koïki

living *m* gastinaya

livre *m* kniga

location de voitures *f* prakate ave-tamabilié

locomotive *f* lakamatiffe

logement *m* jilio

loger jite

loi *f* zakône

loin dalièkô; plus loin dalchè

long dlini

longtemps dolga

longueur *f* dlina

louer brate/vziate naprakate; à louer prakate

lourd tiajoli; (*indigeste*) pitatièle-ni

loyer *m* kvartire-naya plata

lui yèmou; (*voir grammaire*)

lumière *f* svièta

lundi panèdièlnik

lune *f* louna

lunettes *fpl* atche-ki

lunettes de soleil *fpl* atche-ki ate sône-tsa

ma moï/maya/mayo; (*voir grammaire*)

machine à écrire *f* pichou-chaya machine-ka

machine à laver *f* stirale-naya machina

mâchoire *f* tchièle-youste

Madame gaspaja

Mademoiselle gaspaja

magasin *m* magazine

magazine *m* journal

magnétoscope *m* vidéo-magnitafône

mai maille

maigre tôchi

maillot de bain *m* koupalnik

main *f* rouka

maintenant sétchasse

mairie *f* garadskoï savièta

mais no; mais si ! kanièche-na!

maison *f* dome; fait maison damachnille; à la maison dôma

mal (*adverbe*) plôra; ça fait mal bôlna; je me sens mal ya plôra sèbia chouste-vouyou

mal à la gorge: j'ai mal à la gorge ou **mènia balite gôrla**

mal à la tête *m* galavnaya bôle

malade balnoï

maladie *f* balièzne

maladie vénérienne *f* vièneri-tchèskaya balièzne

mal de dents *m* zoube-naya bole

mal de mer: j'ai le mal de mer ou **mènia marskaya balièzne**

malentendu *m* nièdarazou-mièniyè

malheureusement k sajalèniyou

maman *f* mama

manger yèste/sièste

manquer: tu me manques ya saskoutchilsia pa vasse; **mon pays me manque** ya taskou-you pa rôdiniè

manteau *m* paltô

maquillage *m* kasmiètika

marchand de légumes *m* avachnoï magazine

marchand de vins *m* vini magazine

marché *m* rinak

marche arrière *f* zadni Rôde

marcher Radite/ide-ti; **ça ne marche pas** èta niè rabôtayète

mardi ftôrnik

marée basse *f* atlife

marée haute *f* prilife

margarine *f* margarine

mari *m* mouje

mariage *m* svade-ba

marié jiènate ; **mariée** zamoujème

marre: j'en ai marre (de) ... mniè nadayèla ...

marron kari

marron *m* kachtane

mars marte

mascara *m* touche dlia rièsse-nitse

match *m* matche

matelas *m* matrasse

matin *m* outra

mauvais plaRoï

maux d'estomac *mpl* bôle v jèloude-kiè

mayonnaise *f* maille-anièze

me (*voir grammaire*)

mécanicien *m* mièRanik

médecin *m* vratche

médicament *m* lèkare-stva

méduse *f* mièdouza

meilleur loutche-chi; **le meilleur** sami loutche-chi

mélanger smièchivate/ smièchate

melon *m* dinia

même (*identique*) tôte jiè sami; **même si** dajè yèsli

mentir lgate/salgate

menton *m* pade-barôdak

menu *m* (*du jour*) kome-plièksni abiède

mer *f* moriè

Mer Baltique *f* Baltiskayè moriè

Mer Caspienne *f* Kaspiskayè moriè

Mer Noire *f* Tchornayè moriè

merci spassiba

mercredi srièda

mère *f* mate

merveilleux zamiè-tchatièlni

mes maï; (*voir grammaire*)

message *m* paslaniyè

messe *f* mièssa

métal *m* miètal

météo *f* prague-nôze pagôdi

mètre *m* mièteur

métro *m* miètrô

mettre (*placer*) stavite/ pastavite;
(*coucher*) klaste/palajite
meubles *mpl* mébièle
midi pôldiène
miel *m* miode
mien: le mien, la mienne
moï/maya/mayo; (*voir grammaire*)
mieux loutche-chiè; **mieux que** loutche-chiè tchième
milieu *m* sièrèdina
mince (*personne*) stroïni;
(*chose*) tone-ki
maigre Roudoï
minuit pôl-notche
minute *f* minouta
miroir *m* zièrkala
mode *f* môda; **à la mode** môdni
moderne savrèmièni
moins miène-chè; **au moins** pa kraïnié mièriè
mois *m* méssiatse
moitié *f* palavina
Moldavie *f* Male-daviya
mon moï/maya/mayo; (*voir grammaire*)
monde *m* mire; **tout le monde** fsiè
moniteur *m*, **monitrice** *f* ine-strouke-tare
monnaie *f* mièlatche
monsieur *m* mouje-china
Monsieur gaspadine
montagne *f* gara
monter padnimatsa/padniatsa;
(*dans véhicule*) saditsa/sièste
montre *f* tchassi
montrer pakazivate/pakazate
monument *m* pamiatnik
morceau *m* koussôk
morsure *f* oukousse
mort *f* smièrte

mort miortvi
Moscou Maskva
mot *m* slôva
moteur *m* matôre
moto *f* mata-tsikle
mouche *f* moura
mouchoir *m* nassavoï platok
mouette *f* tchaïka
mouillé môkri
moules *fpl* midi-i
mourir oumirate/oumèrièté
mousse à raser *f* krième dlia britia
moustache *f* oussi
moustique *m* kamar
moutarde *f* gare-tchitsa
mouton *m* ave-tsa
moyen srièdni; (*taille*) srièdnava razmièra
mur *m* stièna
mûr zrièli
mûre *f* yèjè-vika
muscle *m* miche-tsa
musée *m* mouzé
musée d'art *m* kartinaya galièréa
musique *f* mouzika
musique folklorique *f* narôdnaya mouzika
musique pop *f* pop-mouzika
musique classique *f* klassitchè-skaya mouzika
myope blizarouki

nager plavate/plite
naître: je suis né en 1963 ya radilsia v 1963 gadou
nappe *f* skatièrte
natation *f* plavaniyè

nationalité f natsianale-naste
nature f prirôda
naturel yèsse-tièste-vièni
nécessaire: c'est nécessaire niè-ab-Radima
négatif m niègatife
neige f sniègue
nerveux nièrve-ni
nettoyer tchistite
neuf nôvi
neveu m plèmianik
névrosé nièrve-ni
nez m nôsse
ni ... ni ... ni ...ni ...
nièce f plèmianitsa
Noël raje-dièste-vô; **joyeux Noël !** s raje-dièste-vôme!
noir tchorni
noir et blanc tchorna-bièli
noisette f lièssnoï arièRe
noix f arièRe
nom m naze-vaniyè; (prénom) imia
nom de famille m familia
nom de jeune fille m dièvi-tchia familia
non niète
non-alcoolisée: boisson non-alcoolisée bièze-alkagôlni napitak
non-fumeurs dlia niè-kouriachiR
nord m sévière; **au nord de ...** k sévièrou ote... (+ gén)
normal narmalni
nos nachi; (voir grammaire)
note f (addition) chiote
notre nache/nacha/nachiè; (voir grammaire)
nôtre: le/la nôtre nache/nacha/nachiè; (voir grammaire)
nourriture f yèda
nous mi; (objet) nasse/name/

nami; (voir grammaire)
nouveau nôvi; **de nouveau** snôva
Nouvel An m Nôvi gôde
nouvelles fpl nôvasti
novembre nayabeur
nu gôli
nuage m ôblaka
nuageux ôblatche-ni
nuit f notche; **bonne nuit** spakoïnoï notchi
nulle part ni-gdié
numéro m nomière
numéro de téléphone m nomière tèlèfôna

objectif m (d'appareil photo) abièktife
objets trouvés mpl biourô naRôdak
obtenir dastavate/dastate
obturateur m zatvôre abièktiva
occasion: d'occasion padière-jani
occupé (personne) zaniati; (WC) zaniata
occuper: s'occuper de zabôtitsa/pazabôtitsa o
octobre ak-tiabeur
odeur f zapaR
œil m glaze
œuf m yaitsô
œuf dur m yaitsô fkroutou-you
œuf à la coque m yaitsô fsmiatkou
offrir prède-lagate/prède-lajite; (cadeau) darite/padarite
oignon m louk

oiseau *m* ptitsa
olive *f* maslina
ombre *f* tièni; **à l'ombre** ftièni
ombre à paupières *f* tièni dlia
  vièk
omelette *f* yaïtche-nitsa
oncle *m* diadia
ongle *m* nôgate
opéra *m* ôpièra
opération *f* apièratsia
opticien *m* optika
optimiste *m/f* aptimiste
or *m* zôlata
orage *m* graza
orange *f* apièle-sine
orange (*couleur*) arane-jièvi
orchestre *m* are-kièsteur
ordinateur *m* kame-pioutère
ordonnance *f* rètsièpte
ordures *fpl* moussare
oreille *f* ouRa
oreiller *m* padouche-ka
organiser arganizavate
orteil *m* paliètse nagui
orthodoxe: **Eglise Orthodoxe**
  pravaslave-naya tsière-kafe
os *m* kôste
oser smiète
ou ili
où ? gdié?
oublier zabivate/zabite;
  (*laisser*) astavliate/astavite
ouest *m* zapate; **à l'ouest de** k
  zapadou ote (+ *gén*)
oui dâ
Oural: **montagnes d'Oural**
  Oural
outil *m* instroumiène-te
ouvert ate-kriti
ouvre-boîte *m* kane-sièrve-ni
  nôje
ouvre-bouteille *m* ate-krivalka
ouvrir ate-krivate/ate-krite

pagaille *f* bièsse-pariadak
page *f* stranitsa
pain *m* klièbe
paire *f* para
palais *m* dvariètse
palais d'Hiver *m* Zime-ni
  dvariètse
pamplemousse *m* grépe-froute
panier *m* karzina
panique *f* panika
panne *f* avaria
panneau de signalisation *m*
  darôje-ni znak
pansement *m* paviazka
pansement adhésif *m* liéka-
  plastir
pantalon *m* briouki
pantoufles *fpl* tapatche-ki
papa *m* papa
papeterie *f* pichiè-boumaje-ni
  magazine
papier *m* boumaga
papier à lettres *m* patche-
  tôvaya boumaga
papier d'aluminium *m* fôlga
papier d'emballage *m* abiore-
  tatche-naya boumaga
papier hygiénique *m* toualiète-
  naya boumaga
papillon *m* babatche-ka
Pâques Passe-Ra
paquet *m* sviortak; (*de
  cigarettes*) patche-ka
par (à *travers*) tchièrèze (+
  acc); **par semaine** v nèdièliou
parapluie *m* zôntik
parc *m* park
parce que patamouchta

77

pardon ! izvinitiè !; (quoi ?)
chtô vi skazali?
pare-brise m viètra-voyè stièklô
pare-chocs m bame-pière
pareil adinakavi
parents mpl rôde-stvièniki;
(père et mère) radi-tièli
paresseux liènivi
parfait prièkrasse-ni
parfois inagda
parfum m douRi
parking m stayane-ka
parler gavaritie; **parlez-vous
. . . ?** vi gavaritiè pa-. . .?
parmi srièdi (+ gén)
partager dièlitsa/pa-dièlitsa
parti m partia
Parti Communiste m
Kamounisti-tchèskaya Partia
partie f tchaste
partir (en voiture etc) ou-
yèjate/ou-yèrate (à pied)
ouRadite/ou-iti
partout vèze-diè
pas niè; **pas de . . .** niète . . .
(+ gen)
passage à niveau m pèrè-yèzde
passage clouté m pièchè-Rôdni
pièrè-Rôde
passager m passajir
passeport m pasparte
passionnant ouvliè-katièlni
pastilles pour la gorge fpl
tablière-ki dlia gôrla
pâté m pâche-tiète
pâtes fpl makarôniyè ize-dièlia
patins à glace mpl kane-ki
pâtisserie f (gâteau) piRôje-
noyè; (magasin) kane-ditière-
skaya
patron m natchale-nik
pauvre bièdni
payer platite/za-platite

pays m strana
paysage m pézaje
peau f kôja
pêche f (fruit) pièrsik; (sport)
ribnaya lôve-lia
pédale f pièdal
peigne m rasse-tchoska
peindre krassite/pa-krassite
pelle f lapata
pellicule f plione-ka
pellicule couleur f tsviètnaya
plione-ka
pelouse f gazône
pendant va vrièmia; **pendant
que** paka
pénicilline f pièni-tsiline
pénis m piènisse
penser doumate/pa-doumate
perdre tèriate/pa-tèriate
père m atiètse
période f srôk
permettre raze-rièchate/raze-
rièchite
permis m raze-riè-chèniyè
permis: c'est permis raze-
rièchayètsa
permis de conduire m
vaditièle-skiyè prava
personne f tchèlavièk
personne (nul) niktô
petit maliène-ki
petit déjeuner m zaftrak
petit pain m boulatche-ka
petits pois mpl garôR
peu: un petit peu nième-nôje-
ka; **un peu (de)** nième-nôje-
ka (+ gén)
peur f straR; **j'ai peur** ya
bayousse
peut-être môjète bite
phares mpl (de voiture) fari
pharmacie f aptièka
photographe m fatôgrafe

photographie *f* fatagrafia
photographier fatagrafiravate
photomètre *m* èkspano-mièteur
pickpocket *m* vôre-karmanik
pièce de théâtre *f* pièssa
pièces de rechange *fpl* zape-
tchasti
pied *m* naga; à pied pièche-
kôme
pierre *f* kamiène
piéton *m* pièchè-Rôde
pile *f* batariéka
pilote *f* liote-tchik
pilule *f* tabliète-ka
pince *f* plaska-goupe-tsi
pince à épiler *f* pine-tsiète
pince à ongles *f* nôje-nitsi dlia
nagtié
pinceau *m* kiste
ping-pong *m* nastolni tènisse
pipe *f* troube-ka
piquant (*goût*) ostri
pique-nique *m* piknik
piquer oujalite
piqûre *f* oukól; (*d'insecte*)
oukousse
pire Roujè; le pire Roude-chi
piscine *f* basséne
piste de ski *f* (lije-ni) sklône
pizza *f* pitsa
place *f* (*siège*) mièsta;
(*esplanade*) plôchade
Place Rouge *f* Krasnaya
plôchade
plafond *m* patalok
plage *f* pliaje
plaindre: se plaindre jalavatsa
plaisanterie *f* choutka
plan *m* plâne; (*de ville etc*) karta
planche à voile *f* daska
sparoussame
plancher *m* pôle
plante *f* rastièniyè

plaque minéralogique *f*
namière-noï znak
plastique *m* plaste-massa
plat *m* bliouda
plat plôski
plateau *m* padnôsse
plein pôlni
pleurer plakate/za-plakate
pleuvoir: il pleut idiote dôje-de
plombage *m* plome-ba
plombier *m* vada-pravôde-tchik
plonger niriate/nirnoute
pluie *f* dôje-de
plupart: la plupart (de)
balchine-stvô
plus bole-chiè; plus de . . . (*ça
suffit*) bole-chiè niè Ratchou . . .
plusieurs nièskalka (+ *gén*)
plutôt skaréyè
pneu *m* china
pneu de rechange *m* zapasnoyè
kalièssô
pneumonie *f* vaspalièniyè lior-
kiR
poche *f* karmane
poêle *m* skavarada
poids *m* vièsse
poignée *f* (*de porte etc*) routche-
ka
poignet *m* zapiastiè
poire *f* groucha
poison *m* yade
poissonnerie *f* ribni magazine
poisson *m* riba
poitrine *f* groude-naya kliète-ka
poivre *m* pièriètse
poivron *m* pièriètse
poli vièje-livi
police *f* militsia
politique *f* palitika
politique palititchèski
pollué zagriaze-nioni
Pologne *f* Pôle-cha

pommade f maze
pomme f yablaka
pomme de terre f kartofièle
pompiers mpl pajare-niyè
pont m moste; (de bateau)
   palouba
porc m (viande) svinina
port m pôrte
porte f dvière; (à l'aéroport)
   viRade; (de jardin etc) varôta
porte-bébé m pière-nasnaya
   kravate-ka
portefeuille m boumaje-nik
porte-monnaie m kachèliok
porter nassite/nièsti
portier m chvétsar
portion f pôrtsia
portion pour enfants f
   diètskaya pôrtsia
porto m parte-viéne
possible: c'est possible vaze-
   môje-na
poste f pôtche-ta
poster m plakate
poster (verbe) ate-pravliate/ate-
   pravite
poste restante da vastriè-
   bavaniya
pot m kouve-chine
potage m soupe
pot d'échappement m viRlape-
   naya trouba
poubelle f moussarni yachik
poule f kouritsa
poulet m tsiplionak
poumons mpl lioR-kiyè
poupée f koukla
pour dlia (+ gén); **pour**
   vous/moi dlia vasse/mènia
pourboire m tchayèviyè
pour cent pratsiène-te
pourquoi ? patchèmou?
pourri gniloï

pousser talkate/talknoute
poussette f skladnaya
   diètskaya kaliaska
pouvoir: je peux/elle peut ya
   magou/ana môjète; **pouvez-**
   vous ... ? vi môjtiè...?
pratique prak-titchni
préféré lioubimi
préférer priède-patchitate
premier m (étage) ftaroï ètàje
premier pièrville
première f (classe) pièrville
   klasse
premiers secours mpl skôraya
   pômache
prendre brate/vziate
prénom m imia
préparer gatôvite/pri-gatôvite
près: près de ôkala (+ gén);
   près d'ici niè-dalièkô
présenter (deux personnes)
   znakômite/pa-znakômite
préservatif m prèzièrvatife
presque patche-ti
prêt gatôvi
prêter adaljite
prêtre m sviachiènik
prier: je vous en prie niè za chtô
principal glavni
printemps m vièsse-na
priorité f (voiture) prava
   prayèzda
prise f (électrique) chtièpe-
   sièlnaya vilka; (boîtier)
   raziète-ka
prise multiple f pière-Radnik
prison f tiourma
privé tchastni
prix m tsèna
probablement vièrayatna
problème m prabe-lièma
prochain slièdouchi; **l'année**
   prochaine fslièdouchème

gadou
proche: le ... le plus proche
bli-jaille-chi ...
produits de beauté *mpl*
kasmiètika
professeur *m* prièpa-davatièle
profond gloubôki
programme *m* programa
promenade *f* pragoulka
promener: aller se promener
gouliate/pa-gouliate
promettre abièchate
prononcer praïze-
nassite/praïze-nièsti
propre tchisti; (*à soi*) sôbe-
stvièni
propriétaire *m* vladièliètse
prospectus *m* prasse-pièkte
protège-couches *mpl* adna-
razaviyè pilione-ki
protéger zachichate/zachitite
protestant *m* pratièstane-te
prudent astarôje-ni
prune *f* sliva
public *m* poublika
puce *f* blaRa
puis patome
pull(over) *m* svitière
punk pank

quai *m* (*de gare*) platfôrma; (*de
port*) pritchal
qualité *f* katchièstva
quand ? kagda?
quand même fsio-taki
quart *m* tchiète-vièrte
quartier *m* raille-ône
que: plus laid que bolè-yè
nièkrassivi, tchième ...;

que ... ? chtô ...?; **je pense
que ...** ya doumayou, chtô ...
quel kakoï
quelque chose chtô-ta
quelque part gdié-ta
quelques ... nièskalka (+ *gén*)
quelques-uns nièkatariyè
quelqu'un ktô-ta
question *f* vaprôsse
queue *f* (*d'animal*) Rvôste; (*file*)
ôtchièriède; **faire la queue**
stayate vôtchièrièdi
qui ? ktô?; **c'est à qui?** tchio
èta?
quincaillerie *f* Raziaïste-vièni
magazine
quinzaine *f* dviè nèdièli
quoi ? chtô?

R

raccourci *m* karôtki poute
radiateur *m* (*auto*) radiatar; (*à
la maison*) batarièya
radio *f* radiô; (*radiographique*)
rième-te-guiènavski snimak
raide kroutoï
raisin *m* vinagrade
raisonnable razoumni
rallonge *f* oudli-nitièle
rapide bistri
rare riède-ki
raser: se raser britsa/pabritsa
rasoir *m* britva
rat *m* krissa
rater (*train etc*)
apazdivate/apazdate na
ravissant atcharavatièlni
réception *f* rièguistratsia
réceptionniste *m*/*f*
rièguistrator

recette f rètsièpte
recevoir paloutchate/paloutchite
recommander rèkamiène-davate
reconnaissant blagadarni
reconnaître ouznavate/ouznate
reçu m kvitane-tsia
regarder smatriète/pa-smatriète
régime m diyèta
région f mièste-naste
règles fpl mièsse-atche-niyè
reine f karalièva
reins mpl pôtche-ki
religion f rèliguia
rembourser vaze-mièstite
remercier blagadarite/pablagadarite
remonte-pente m padiome-nik
remorque f pritsièpe
remplir napalniate/napôlnite
rencontrer fstrètchate/fstrètite
rendez-vous m fstrètcha
rendre vaze-vrachate/vièrnoute
renseignement m sprafka
renseignements mpl (bureau) spravatchni stole; (téléphone) spravatche-naya
rentrer vaze-vrachatsa/vière-noutsa; **rentrer à la maison** vaze-vrachatsa/vière-noutsa damoï
renverser aprakinoute
réparer tchinite/pa-tchinite
repas m yèda
repasser gladite/pa-gladite
répéter pavtariate/pavtarite
répondre atviètchate/atviètite
repos m ote-diʀ
reposer: se reposer ate-diʀate/ate-daʀnoute
représentant m prède-stavitièle
réservation f prèdvaritièlni zakaze

réserver zakazivate/zakazate zaraniè
réservoir m bak
respirer dichate
responsable ate-viète-stvièni
réponse f ate-viète
ressembler à bite paʀôjime na
ressort m proujina
restaurant m rèstarane
reste m astatak
rester astavatsa/astatsa
retard m zadière-jka; **arriver/être en retard** apazdivate/apazdate
retraité m pène-sianière
rétroviseur m zièrkala zade-nièva abzôra
réunion f fstrètcha
rêve m sône
réveil m boudilnik
réveillé: il est réveillé one prasnoulsia
réveiller razboudite; **se réveiller** prassipatsa/prasnoutsa
revenir vaze-vrachatsa/vière-noutsa
revoir: au revoir dasse-vidania
Révolution d'octobre f Aktiabeurskaya Rièvalioutsiya
rez-de-chaussée m pièrville ètàje
rhum m rome
rhumatismes mpl rièvematizme
rhume m nasmark
rhume des foins m sièznaya liʀarate-ka
riche bagati
rideau m zanavièska
ridicule nièlièpi
rien nitchièvô

rire smèyatsa/za-smèyatsa
rivage *m* bièrègue
rivière *f* rièka
riz *m* risse
robe *f* platiè
robe de chambre *f* Ralate
robinet *m* krane
rocher *m* skala
rock *m* rok-mouzika
rognons *mpl* pôtche-ki
roi *m* karôle
roman *m* ramane
rond krougli
ronfler R-rapiète
rose *f* rôza
rose rôzavi
roue *f* kalièssô
rouge krasni
rouge à lèvres *m* goube-naya
   pamada
rougeole *f* kôre
Roumanie *f* Rouminia
rousse rijaya
route *f* darôga
roux riji
rubéole *f* krasnouRa
rue *f* oulitsa
ruines *fpl* rouïni
ruisseau *m* routché
Russie *f* Rassiya

sa yèvô/yèyo; *(voir grammaire)*
sable *m* pièssok
sac *m* soume-ka
sac à dos *m* rioukzak
sac à main *m* soumatche-ka
sac de couchage *m* spalni
   mièchok
saigner kravatatchite

Saint-Sylvestre *f* kanoune
   Nôvava gôda
saison *f* vrièmia gôda; en
   haute saison vrazgar sièzôna
salade *f* salate
sale griazni
salé salioni
salle à manger *f* stalôvaya
salle d'attente *f* zale ajidaniya
salle de bain *f* vanaya
salon *m* gastinaya
samedi soubôta
sandwich *m* boutière-brôde
sang *m* krôfe
sans bièz (+ *gén*)
santé *f* zdarôviè; santé ! za
   vachè zdarôviè!; bon pour la
   santé zdarôvi
sardine *f* sardina
sauce *f* sô-ousse
saucisse *f* sassiska
sauf krômiè (+ *gén*)
saumon *m* lassôsse
sauna *m* sa-ouna
sauter prigate/prigue-noute
sauvage diki
savoir znate; je ne sais pas ya
   niè znayou
savon *m* mila
scandaleux skane-dalni
science *f* naouka
scotch *m* (R) klékaya liène-ta
seau *m* vièdrô
sec souroï
sèche-cheveux *m* fiène
sécher souchite
seconde *f* (*temps*) sièkoune-da
secours: au secours !
   pamaguitiè!
secret sèkriète
sécurité: en sécurité fbièza-
   pasnasti
séduisant privlièkatièlni

sein *m* groude
séjour *m* prèbivaniyè
sel *m* sole
self-service *m* sama-absloujévaniè
semaine *f* nèdièlia
semblable padôbe-ni
semelle *f* padmiote-ka
sens *m* (*direction*) starana
sensible tchouste-vitièle-ni
sentier *m* trapine-ka
sentiment *m* tchoustva
sentir tchouste-vavate; (*odeur*) paʀ-noute; **je me sens bien** mniè ʀaʀachô
séparé ate-dièlni
séparément ate-dièlna
septembre sène-tiabeur
sérieux sèriozni
serpent *m* zméya
serrure *f* zamok
serveuse *f* afitsiâne-tka
service *m* absloujévaniè; (*pourboire*) plata za absloujévaniè
serviette *f* (*pour documents*) parte-fièle; (*pour manger*) salfiète-ka
serviette de bain *f* palatiène-tsè
serviette hygiénique *f* guiguièni-tchèskaya salfiète-ka
servir absloujivate/absloujite
ses yèvô/yèyo; (*voir grammaire*)
seul adine (*m*)/adna (*f*)
seulement tôlka; **deux seulement** tôlka dva
sexe *m* sièkse
sexy privlièkatièlni
shampoing *m* châme-poune
shopping *m* pakoupe-ki; **faire du shopping** ide-ti za pakoupe-kami
shorts *mpl* chorti

si (*condition*) yèsli; (*tellement*) tak
Sibérie *f* Sibir
SIDA *m* SPIDE
siècle *m* vièk
siège *m* mièsta
sien: le sien, la sienne yèvô, yèyo
signature *f* pôde-pisse
signer pade-pissivate/pade-pissate
signifier znatchite
silence *m* tichina; **silence !** tichè!
s'il vous plaît pajâlsta
simple prastoï
sincère iskrièni
sinon inatchè
ski *m* lija; (*sport*) lije-ni spôrte
skier katatsa na lijaʀ
slip *m* (*homme*) troussi; (*femme*) troussiki
slip de bain *m* plafki
socialisme *m* sate-sializame
société *f* ôbe-chèstva; (*entreprise*) kame-pania
sœur *f* sièstra
soie: en soie cholkavi
soif: j'ai soif mniè ʀôtchètsa pite
soir *m* viètchère; **ce soir** sièvôdnia viètcherame
soirée *f* viètchèrine-ka
soit ... soit ... ili ...ili ...
soldes *mpl* raspradaja
soleil *m* sône-tsè; **il y a du soleil** sôlniètchna
sombre tiomni
sommeil: j'ai sommeil mniè ʀôtchètsa spate
somnifère *m* snatvôrnayè
son yèvô, yèyo; (*voir grammaire*)
sonnette *f* zvanok

sortie *f* viRade
sortie de secours *f* zapasnoï viRade
sortir viRadite/viti; **elle est sorti** yèyo nièté
souci *m* zabôta; **se faire du souci pour** bièsse-pakoïtsa o
soucoupe *f* blioudé-tsè
soudain vdroug
souhaits: à vos souhaits ! boudé-tiè zdarôvi!
soupe *f* soupé
sourcil *m* brôfé
sourd glouRoï
sourire oulibatsa/oulibé-noutsa
sourire *m* oulibé-ka
souris *f* miché
sous podé (+ *instr*)
sous-sol *m* padval
sous-vêtements *mpl* nijé-noyè bilio
soutien-gorge *m* biousté-galtière
souvenir *m* souviènir
souvenir: se souvenir de pômnite/fspômnite; **je m'en souviens** ya pômniou
souvent tchasta
soviétique savièté-ski
spécialement assôbièna
spécialité *f* spètsi-alnasté
sport *m* spôrté
starter *m* padsôssé
stationner stavité/pa-stavité machinou
station-service *f* zapravatche-naya stane-tsiya
steak *m* bifé-chtièksé
steward *m* stiouardé
stupide gloupi
stylo *m* routche-ka
stylo à bille *m* charika-vaya routche-ka
stylo-feutre *m* flamastière

succès *m* oudatcha
sucette *f* lèdièniètsé
sucre *m* saRaR
sud *m* youg; **au sud de** kyougou oté (+ *gén*)
suffire: ça suffit ètava dastatatché-na
suisse chvétsarski
Suisse *f* Chvétsariya
suivant (*adjectif*) slièdouchi
suivre slièdavaté
super patriasayouchi
supermarché *m* ounivèrsamé
supplément *m* dapalé-nièniyè
supporter: je ne supporte pas ... ya tèrpiètè niè magou ...
sur na (+ *prép*)
sûr ouvièriène (*m*)/ouvièrèna (*f*)
surgelé zamarôjèni
surnom *m* prôzé-vichè
surprenant oudivitièlni
surprise *f* siourprizé
survêtement de sport *m* trènirôvatchni kastioumé
sympathique priyatni
synagogue *f* sinagôga

ta tvoï/tvaya/tvayo; (*voir grammaire*)
tabac *m* tabak
tabac-journaux *m* gaziétni kiosk
table *f* stolé
tableau *m* kartina
tableau de bord *m* pribôrnaya daska
tache *f* piatnô
taille *f* (*grandeur*) razé-mière; (*partie du corps*) talia

talc *m* talk
talon *m* piatka; *(de chaussure)*
  kablouk
tampon *m* tame-pone
tante *f* tiotia
tapis *m* kavior
tard: il est tard pôzde-na
tarte *f* pirôg
tasse *f* tchache-ka
taxi *m* taxi
te *(voir grammaire)*
teinturier *m* ʀime-tchiste-ka
télégramme *m* tèlègramma
téléphone *m* tèlèfône
téléphoner (à) zvanite/pa-
  zvanite
télésiège *m* padiome-nik
télévision *f* tièlèvizar
témoin *m* atchè-vidiètse
température *f* tièmpèratoura
tempête *f* bouria
tempête de neige *f* viouga
temps *m* vrièmia; *(météo)*
  pagôda
tenir dièrjate
tennis *m* tènisse
tennis *mpl* kièdi
terminer kane-tchate/kône-
  tchite
terre *f* zèmlia
tes tvaï; *(voir grammaire)*
tête *f* galava
thé *m* tchaille
théâtre *m* tèâtre
thé citron *m* tchaille
  slimôname
théière *f* tchaille-nik
thermomètre *m* tièrmomièteur
thermos *m* tèrmasse
tiède tchoute tiopli
tien: le tien/la tienne tvoï/
  tvaya/tvayo; *(voir grammaire)*
timbre *m* marka

timide zastiène-tchivi
tire-bouchon *m* chtopar
tirer tianoute
tissu *m* te-kane
toast *m* pade-jarièni ʀlièbe
toi tèbia; *(voir grammaire)*
toilettes *fpl* toualiète
toilettes pour messieurs *fpl*
  mouje-skoï toualiète
toilettes pour dames *fpl* jiène-
  ski toualiète
toit *m* kricha
tomate *f* pamidôr
tomber padate/oupaste
tomber en panne slamatsa
ton tvoï/tvaya/tvayo; *(voir
  grammaire)*
tonnerre *m* grôme
tôt rana
toucher trôgate/trônoute
toujours fsiègda; *(encore)*
  yècho
tour *f* bache-nia
touriste *m/f* touriste
tourner pavaratchivate/pavière-
  noute
tournevis *m* ate-viortka
tout: tous les hommes/toutes les
  femmes fsiè mouje-chini/fsiè
  jiène-chini; tous les jours
  kaje-di diène; toute la
  journée vièsse diène; tout le
  lait fsio malakô; tous les deux
  oba; tout fsio; en tout fsio
  ve-mièsse-tiè
tousser kachliate
toux *f* kachièle
tradition *f* traditsia
traditionnel traditsiôni
traduire pèrèvadite/pèrèvièsti
train *m* pôyizde
tranche *f* lôme-tik
tranquille tiʀi

FRANÇAIS-RUSSE

transmission *f* transmissia
transpirer patiète
transsibérien *m* transe-sibirski èksprèsse
travail *m* rabôta
travailler rabôtate
traverser pièrèRadite/pièrè-iti
très ôtchène
tricoter viazate/sviazate
triste groustni
trop sliche-kame mnôga; **trop cher/vite** sliche-kame daragoï/bistri; **pas trop** niè sliche-kame mnôga
trottoir *m* tratouar
trou *m* dira
trouver naRadite/naï-ti
T-shirt *m* foutbolka
tu ti; (*voir grammaire*)
tuer oubivate/oubite
tunnel *m* tounièle
Turquie *f* Tourtsiya
tuyau *m* troubapravôde

Ukraine *f* Oukraïna
un, une (*voir grammaire*); (*nombre*) adine (*m*)/adna (*f*)/adnô (*n*)
Union Soviétique *f* Saviètski Sayouze
université *f* ounivèrsitiète
urgent srôtche-ni; **c'est urgent** èta srôtche-na
URSS *f* Esse-Esse-(Esse)-Ere
usine *f* zavôde
utile palièzni
utiliser ispôlzavate

vacances *fpl* ote-diR; **les grandes vacances** kanikouli
vaccination *f* privifka
vagin *m* vlagalichè
vague *f* valna
vaisselle *f* (*assiettes etc*) passouda
valable diéste-vitièlni
valise *f* tchèmadane
vallée *f* dalina
vase *m* vaza
veau *m* (*viande*) tèliatina
végétarien *m* **végétarienne** *f* vègouè-tarianiètse (*m*)/vègouè-tariane-ka (*f*)
vélo *m* vièlasipiède
vendre pradavate/pradate; **à vendre** pradayotsa
vendredi piatnitsa
venir priRadite/priti
vent *m* vietière
vente *f* pradaja
ventilateur *m* vène-tiliatare
ventre *m* jivôte
vérifier pravèRiate/pravièrite
vernis à ongles *m* lak dlia nagtié
verre *m* stakane; (*matériel*) stièklô
verrou *m* zapôre
verrouiller zapirate/zapèriète
vert zèlioni
vessie *f* matchèvoï pouzire
veste *f* kourte-ka
vestiaire *m* gardièrôbe
vêtements *mpl* adièje-da
veuf *m* vdaviètse
veuve *f* vdava
viande *f* miassa
vide poustoï
vidéo *f* vidiô

87

vie f jizane
vieux stari
vignoble m vinagradnik
villa f assabniak
village m dièrièvnia
ville f gôrade
vin m vinô; **vin rouge/blanc/rosé**
    krasnoyè/bièloyè/rôzavoyè
    vinô; **vin ordinaire**
    stalôvoyè vinô
vinaigrette f priprava k salatou
violer iznasilavate
violet fialiètavi
virage m viraje
vis f vinte
visa m viza
visage m litsô
viseur m vida-iskatièle
visite f vizite
visiter passèchate/passètite
vitamines fpl vitamini
vite bistra
vitesse f (rapidité) skôraste;
    (première etc) skôraste
vivant jivoï
vivre jite
vœux: meilleurs vœux snaï-
    loutche-chimi pajèlaniyami
voici vôte, pajâlsta
voilà vôte, pajâlsta
voile f parousse
voir vidiète/ou-vidiète
voisin m sassiède
voisine f sassiète-ka
voiture f machina
voix f gôlasse
vol m (d'avion) rèïsse;
    (criminel) kraja
volaille f damache-niaya ptitsa
volant m (de voiture) roule
voler (dans l'air) lètate/lètiète;
    (dérober) kraste/oukraste

voleur m vôre
vomir: je vais vomir menia
    séthasse vire-viète
vos vachi; (voir grammaire)
votre vache/vacha/vachè; (voir
    grammaire)
vôtre: le/la vôtre vache/vacha/
    vachè; (voir grammaire)
vouloir Ratiète/za-Ratiète; **je
    veux** ya Ratchou; **voulez-
    vous . . . ?** vi Ratitiè. . .?; **je
    voudrais . . .** ya Ratièle bi . . .
vous vi; (voir grammaire)
voyage m payèzte-ka; **bon
    voyage !** chaste-livava pouti!
voyage d'affaires m kamane-
    dirôfka
voyage de noces m mièdôvi
    méssiatse
voyage organisé m touristi-
    tchèskaya payèzte-ka
voyager poutiè-chièstvavate
vrai vièrni
vraiment diéste-vitièlna
vue f vide

W Y Z

wagon m vagône
wagon-lit m spalni vagône
wagon-restaurant m vagône-
    rèstarane
walkman m (R) pléyère
week-end m viRade-niyè
    y tâme
yacht m yaRta
yaourt m prastakvacha
zéro nole
zone piétonne f pièchè-
    Rôdnaya zôna
zoo m zaparke

Aa

абрикос abricot
авария accident; panne
август août
авиакомпания compagnie aérienne
авиа почтой par avion
Австрия Autriche
автобус autobus
автовокзал gare routière
автоматический automatique
автомобилист automobiliste
автомобиль (m) automobile
автомобильный гудок klaxon
автострада autoroute
автофургон caravane
агентство agence
агрессивный agressif
адвокат avocat
администратор directeur
адрес adresse
адресная книга carnet d'adresses
Азербайджан Azerbaïdjan
аккумулятор batterie
акселератор accélérateur
акцент accent
алкоголь (m) alcool
аллергия (на) allergie (à)
алмаз diamant (pierre)
альтернатор alternateur
Америка Amérique
американский américain
амортизатор amortisseur
амперный: 13-ий амперный de 13 ampères

ананас ananas
ангина angine
английская булавка épingle de nourrice
английский anglais
Англия Angleterre
антибиотик antibiotique
антигистамин antihistaminique
антикварный магазин antiquaire (magasin)
антикварная вещь objet ancien
антифриз antigel
апельсин orange
апельсиновое варенье confiture d'oranges
аперитив apéritif
аппендицит appendicite
аппетит appétit
апрель (m) avril
аптека pharmacie
арахис cacahuètes
арестовать arrêter (coupable)
Армения Arménie
аромат arôme
археология archéologie
аспирин aspirine
астма asthme
Афганистан Afghanistan
афиша affiche
аэропорт aéroport

Бб

бабочка papillon
бабушка grand-mère
багаж bagages
багажник coffre (de voiture)

Б В Г Д Е Е Ё Ж З И Й Л Н П Р С У Ф Х Ц Ч Ш Щ Ы Э Ю Я ЕЙ ЫЙ
б в г д е е ё ж з и й л н п р с у ф х ц ч ш щ ы э ю я ей ый
b v g/vd i è io j z i i l n p r s ou R ts tch ch i è iou ia (i)é i

бак réservoir
бакалея épicerie
баклажан aubergine
балкон balcon
Балтийское море Mer Baltique
бальзам для волос baume
  après-shamping
бампер pare-chocs
банан banane
банк banque
банк-автомат distribanque
банкнота billet de banque
бар bar
бармен barman
бассейн piscine
батарейка pile
батарея radiateur
башня tour
бегать/бежать courir;
  бегать/бежать трусцой faire
  du jogging
бедный pauvre
бедро cuisse; hanche
бежевый beige
без sans
безалкогольный напиток
  boisson non-alcoolisée
безопасность: **в безопасности**
  en sécurité
безработный au chômage
бекон lard
белокурый blond
Белоруссия Biélorussie
белый blanc
Бельгия Belgique
бельё linge
бензин essence
берег côte; rivage; **на берегу**
  моря au bord de la mer
беременная enceinte
бесплатный gratuit

беспокоиться о se faire du souci
  pour
беспорядок pagaille
беспошлинный hors taxes
бессонница insomnie
библиотека bibliothèque
библиотека им. Ленина
  Bibliothèque Lénine
бизнес affaires (*commerce*)
бикини bikini
билет billet
билет в один конец aller simple
билетная касса guichet
бифштекс steak
благодарить/поблагодарить
  remercier
благодарный reconnaissant
бланк formulaire
ближайший le/la ... le/la plus
  proche
близнецы jumeaux
близорукий myope
блин crêpe
блокнот cahier
блоха puce
блузка chemisier
блюдо plat
блюдце soucoupe
бог Dieu
богатый riche
Болгария Bulgarie
болезнь (*f*) maladie
болеть/заболеть être malade;
  tomber malade; être
  douloureux
болеутоляющее средство
  analgésique
боль (*f*) douleur
боль в желудке maux d'estomac
больница hôpital
больно! ça fait mal !

больной malade
больше plus; больше не хочу ... assez de ...
большинство la plupart (de)
большой grand
бомба bombe
борода barbe
бояться avoir peur (de)
браслет bracelet
брат frère
бриллиант diamant
бритва rasoir
бритвенное лезвие lame de rasoir
бриться/побриться se raser
бровь (f) sourcil
бросать/бросить jeter; lancer
брошь (f) broche
брошюра dépliant
брюки pantalon
брюссельская капуста choux de Bruxelles
будильник réveil
будущее futur
будьте здоровы! à vos souhaits !
буква lettre
букинист bouquiniste
булавка épingle
булочка petit pain
булочная boulangerie
бумага papier
бумажник portefeuille
бумажные носовые платки kleenex (R)
буря tempête
бутерброд sandwich
бутылка bouteille
быстрее! dépêchez-vous !
быстро vite
быстрый rapide
быть être
бюро bureau
бюро находок objets trouvés

бюро путешествий agence de voyages
бюстгальтер soutien-gorge

в en; dans; à
вагон wagon
вагон-ресторан wagon-restaurant
важный important
ваза vase
ванна bain; baignoire
ванная salle de bain
варенье confiture
вата coton hydrophile
ваш/ваша/ваше votre; le/la vôtre
ваши vos
вдова veuve
вдовец veuf
вдруг tout à coup; soudain
вегетарианец végétarien
ведро seau
вежливый poli
везде partout
век siècle
Великобритания Grande-Bretagne
великолепный fantastique
велосипед bicyclette; vélo
Венгрия Hongrie
венерическая болезнь maladie vénérienne
вентилятор ventilateur
верёвка ficelle
верить/поверить croire
вернуть rendre
вернуться rentrer; revenir
верный vrai
вероятно probablement
верховая езда équitation

Б В Г Д Е Ё Ж З И Й Л Н   П Р С У Ф Х Ц Ч Ш Щ Ы Э Ю Я ЕЙ ЫЙ
б в г д е ё ж з и й л н   п р с у ф х ц ч ш щ ы э ю я ей ый
b v g/v d ié io j z i i l n p r s ou R ts tch ch i é iou ia (i)é i

вес poids
веселиться: веселитесь!
  amusez-vous bien !
весна printemps
вести conduire
весь tout; **весь день** toute la
  journée
ветер vent
ветровое стекло pare-brise
ветчина jambon
вечер soir; soirée; **добрый вечер**
  bonsoir; **11 часов вечера** 11
  heures du soir
вешалка cintre
вещь (*f*) chose
взбешённый furieux
взбитые сливки crème Chantilly
взрослый adulte
взять prendre
взять напрокат louer
вид vue
видео vidéo
видеомагнитофон magnétoscope
видеть/увидеть voir
видоискатель (*m*) viseur
виза visa
визит visite
визитная карточка carte de
  visite
вилка fourchette
винный магазин marchand de
  vins
вино vin; **красное/белое/розовое**
  вино vin rouge/blanc/rosé;
  столовое вино vin ordinaire
виноват: я виноват c'est ma
  faute
виноград raisin
виноградник vignoble
винт vis
вираж virage

виски whisky
витамины vitamines
вишня cerise
включать/включить allumer;
  mettre en marche
включён allumé
включённый в цену compris;
  inclus
вкус goût
вкусный bon; délicieux
владелец propriétaire
вместе ensemble
внизу en bas (*dans maison*)
внутри à l'intérieur
во en; dans; à
во время pendant
вовремя à l'heure
вода eau
водитель conducteur
водительские права permis de
  conduire
водить/вести conduire
водка vodka
воднолыжный спорт ski
  nautique
водопад cascade
водоросли algues
возвращать/вернуть rendre
возвращаться/вернуться
  rentrer; revenir
воздух air
воздушный шар ballon
возместить rembourser
возможно c'est possible
возражать: вы не возражаете
  если я …? cela vous dérange
  si … ?
возраст âge
война guerre
войти entrer
вокзал gare

RUSSE-FRANÇAIS

волдырь (*m*) ampoule (*au pied*)
волна vague
волосы cheveux
вон! dehors !
вон там là-bas
вопрос question
вор voleur
вор-карманник pickpocket
ворота porte (*de jardin etc*)
воротник col (*de vêtement*)
воскресенье dimanche
воспаление лёгких pneumonie
восток est; **к востоку от** à l'est
de
вот voilà, le voilà; **вот,
пожалуйста** voici; voilà
вот эти ceux-ci, celles-ci
вот этот/эта/это celui-ci, celle-ci
врач médecin
вредить/повредить endommager
время temps (*durée*); **время
года** saison
все tout le monde; **все
мужчины/женщины** tous les
hommes/toutes les femmes
всегда toujours
всё tout; **всё вместе** en tout
всё-таки quand-même
вскипятить bouillir
вспомнить se souvenir de
вспышка flash
вставать/встать se lever
встреча rendez-vous; réunion
встречать/встретить rencontrer
вторник mardi
второй deuxième
второй этаж premier (*étage*)
вход entrée
входить/войти entrer; **войдите!**
entrez !
вчера hier
вы vous
выбирать/выбрать choisir

выбросить jeter (*à la poubelle*)
выглядеть avoir l'air
выиграть gagner
выйти sortir; descendre (*de
véhicule*)
выключатель (*m*) interrupteur
выключать/выключить arrêter;
éteindre
выключен éteint
вылетать/вылететь décoller
выпить boire
высокий grand; haut
выставка exposition
выставочный зал salle
d'exposition
выхлопная труба pot
d'échappement
выход sortie; porte (*à l'aéroport*)
выходить/выйти sortir;
descendre (*de véhicule*)
выходные week-end
вьюга tempête de neige
вязать/связать tricoter

Гг

гаечный ключ clé anglaise
газ gaz
газета journal
газетный киоск tabac-journaux
газированный gazeux
газон pelouse
гайка écrou
галантерея mercerie
галстук cravate
гамбургер hamburger
гараж garage
гарантия garantie
гардероб vestiaire
гастроном magasin
d'alimentation

Б В Г Д Е Ё Ж З И Й Л Н П Р С У Ф Х Ц Ч Ш Щ Ы Э Ю Я ЕЙ ЫЙ
б в г д е ё ж з и й л н п р с у ф х ц ч ш щ ы э ю я ей ый
b v g/v d iè io j z i i l n p r s ou R ts tch ch i è iou ia (i)é i

гвоздь (*m*) clou
где? où ?
где-то quelque part
геморрой hémorroïdes
г-жа Mme; Mlle
гигиеническая салфетка
  serviette hygiénique
гид guide
главный principal
гладить/погладить repasser
глаз oeil
гласность glasnost; transparence
глотать/проглотить avaler
глубокий profond
глупый stupide
глухой sourd
г-н M. (*Monsieur*)
гнилой pourri
говорить/сказать dire; parler;
  вы говорите по-... parlez-vous
  ... ?
говядина boeuf
год année
годовщина anniversaire
Голландия Hollande
голова tête
головная боль mal à la tête
голодный: я голоден j'ai faim
голос voix
голый nu
гора montagne
гордый fier
гореть/сгореть brûler
горький amer
горло gorge
горничная femme de chambre
город ville
городской совет mairie
горох petits pois
горчица moutarde
горький amer

горячий chaud
господин Monsieur
госпожа Mademoiselle; Madame
гостеприимство hospitalité
гостиная salon; living
гостиница hôtel
гость invité
гостья invitée
государство état
готовить/приготовить cuire;
  préparer
готовый prêt
град grêle
градус degré; **20 градусов** 20
  degrés Celsius
грамматика grammaire
грампластинки disquaire
граница frontière; **за границей**
  à l'étranger
гребная шлюпка bateau à rames
грейпфрут pamplemousse
грелка bouillotte
Греция Grèce
грибы champignons
грипп grippe
гроза orage
гром tonnerre
громкий fort (*son*)
грубый grossier
грудная клетка poitrine
грудь (*f*) sein
Грузия Géorgie
грузовик camion
группа groupe
группа крови groupe sanguin
грустный triste
груша poire
грязный sale; **грязное бельё**
  linge sale
губа lèvre
губная помада rouge à lèvres

гулять/погулять aller se promener
густой épais
гусь oie

да oui
давать/дать donner
даже même; даже если même si
далеко loin
дальше plus loin
дама dame
дарить/подарить offrir (*cadeau*)
дать donner
дача maison de campagne, datcha
дверь (f) porte
двойной double
дворец palais
дворник essuie-glace
двухразовое питание demi-pension
двухэтажные койки lits superposés
дебютант débutant
девичья фамилия nom de jeune fille
девочка petite fille
девушка jeune fille
дедушка grand-père
дезинфицирующее средство désinfectant
дезодорант déodorant
действительно vraiment
действительный valable
декабрь (m) décembre
делать/сделать faire; préparer
делиться/поделиться partager
день (m) jour; днём l'après-midi
деньги argent (*pour payer*)

день рождения anniversaire
деревня campagne; village
дерево arbre; из дерева en bois
десерт dessert
детская коляска landau
детская кроватка lit d'enfant
детская порция portion pour enfants
дешёвый bon marché
джаз jazz
джин gin
джин с тоником gin-tonic
джинсы jean
диабетик diabétique
диалект dialecte
диета régime
дикий sauvage
дискотека discothèque
дичь (f) gibier
длина longueur
длинный long
для pour; для вас/меня pour vous/moi; для некурящих non-fumeurs
дневник journal
дно fond; на дне au fond de
до avant; jusqu'à
до востребования poste restante
добро пожаловать! bienvenue !
добрый bon; gentil
довольно assez (*plutôt*); довольно хорошо assez bien
довольный content
дождик averse
дождь (m) pluie; идёт дождь il pleut
до завтра à demain
документ document
долго longtemps
должен: я должен/она должна je dois/elle doit
долина vallée
дом maison; дома à la maison;

Б В Г Д Е Ё Ж З И Й Л Н П Р С У Ф Х Ц Ч Ш Щ Ы Э Ю Я ЕЙ ЫЙ
б в г д е ё ж з и й л н п р с у ф х ц ч ш щ ы э ю я ей ый
b v g/v d iè io j z i i l n p r s ou R ts tch ch ch i è iou ia (i)é i

он дома? il est là ?
домашний fait maison
домашняя птица volaille
домкрат cric
дорога route
дорогой cher
дорожные работы travaux (*sur la route*)
дорожный знак panneau de signalisation
дорожный чек chèque de voyage
досадно ennuyeux; désagréable
до свидания au revoir
доска с парусом planche à voile
доставать/достать obtenir
достаточно assez (de); **этого достаточно** ça suffit
дочь fille (*de parents*)
драка bagarre
древний ancien
друг ami; petit ami
другой (*un/une*) autre; **в другом месте** ailleurs; **что-то другое** autre chose
духи parfum
духовка cuisinière; four
душ douche
дым fumée
дыня melon
дыра trou
дышать respirer
дядя oncle

еврей juif
еврейка juive
Европа Europe

европейский européen
еврочек eurochèque
его le; son/sa/ses
еда nourriture; repas
её la; son/sa/ses (*à elle*); **её** le sien, la sienne
ежевика mûre
ездить aller
ему lui
если si (*condition*)
естественный naturel
есть/съесть manger
ехать/ездить aller
ещё toujours (*encore*); **ещё более красивый** encore plus beau; **ещё нет** pas encore; **ещё одно пиво** encore une bière

Ж - **женский туалет** toilettes pour dames
жаловаться se plaindre
жаль c'est dommage
жара chaleur
жареный картофель frites
жарить frire
жвачка chewing-gum
ждать/подождать attendre
железная дорога chemin de fer
железо fer
желудок estomac
жена femme (*épouse*)
женат marié; **не женат** célibataire
жених fiancé
женщина femme
жёлтый jaune
живой vivant

живот ventre
животное animal
жидкость для снятия лака dissolvant
жизнь (f) vie
жильё logement
жир gras
жирный gras
жить habiter; loger
журнал magazine

Зз

за derrière
забавный drôle
заболеть tomber malade
забор barrière
забота souci
заботиться/позаботиться о s'occuper de
забывать/забыть oublier
заведующий patron
завернуть emballer
зависеть: это зависит ça dépend
завод usine
завтра demain
завтрак petit déjeuner
загар bronzage
загорать se faire bronzer
загореть bronzer
загрязнённый pollué
зад derrière (*du corps*)
задержка retard
задние фары feux arrière
задний ход marche arrière
задняя часть arrière
зажечь allumer (*feu*)
зажигалка briquet
зажигание allumage
зажигать/зажечь allumer
заказывать/заказать

commander; réserver
закат coucher de soleil
закон loi
закричать crier
закрывать/закрыть fermer
закрыто fermé
закурить fumer
закуска casse-croûte
зал ожидания salle d'attente; salle de départ
замечательный merveilleux
замок serrure
замороженная пища surgelés
замороженный surgelé
замужем mariée; **не замужем** célibataire
замшевый en daim
занавеска rideau
занимать/занять emprunter
занято occupé (*WC*)
занятый occupé (*personne*)
занять emprunter
запад ouest; **к западу от** à l'ouest de
запасное колесо pneu de rechange
запасной выход sortie de secours
запах odeur
запирать/запереть fermer à clé
записная книжка-календарь agenda
заплатить payer
запор verrou
запрещено ...! interdit de ...
запчасти pièces de rechange
запястье poignet
зарабатывать/заработать gagner (*salaire etc*)
заработка salaire
заражение infection

97

Б В Г Д Е Ё Ж З И Й Л Н П Р С У Ф Х Ц Ч Ш Щ Ы Э Ю Я ЕЙ ЫЙ
б в г д е ё ж з и й л н п р с у ф х ц ч ш щ ы э ю я ей ый
b v g/vd iě io/z i i i l n p r s ou f R ts tch chi i ě iou ia (i)é i

заранее d'avance
засмеяться rire
засоренный bouché
застенчивый timide
застёжка-молния fermeture
éclair
затвор объектива obturateur
затормозить freiner
защищать/защитить protéger
звать/позвать appeler; **как вас
зовут?** comment vous
appelez-vous ?; **меня зовут
Владимир** je m'appelle
Vladimir
звезда étoile
звонить/позвонить téléphoner à
звонок sonnette; appel
téléphonique
здание bâtiment
здесь ici
здоровый bon pour la santé; en
forme
здоровье santé; **за ваше
здоровье!** santé !; à la vôtre !
здравствуйте bonjour
зелёный vert
земля terre
зеркало miroir
зеркало заднего обзора
rétroviseur
зима hiver
Зимний дворец palais d'Hiver
змея serpent
знакомить/познакомить
présenter
знакомиться/познакомиться
faire connaissance
знать connaître; savoir; **я не
знаю** je ne sais pas
значить signifier; **что это
значит?** qu'est-ce que ça veut

dire ?
золото or
зонтик parapluie
зоопарк zoo
зрелый mûr
зуб dent
зубная боль mal de dents
зубная паста dentifrice
зубная щётка brosse à dents
зубной врач dentiste
зубной протез dentier
зуд démangeaison
зять gendre

и et
иголка aiguille
игра jeu
играть/сыграть jouer
игрушка jouet
идея idée
идиот idiot
идти/ходить marcher; aller; **вам
идёт синий цвет** le bleu vous
va bien
известный célèbre
извините! pardon; excusez-moi
извиняться/извиниться
s'excuser
из-за à cause de
измерительный прибор jauge
изнасиловать violer
икота hoquet
или ou
или ...или ... soit ... soit ...
им leur (*pronom*)
имеется/имеются il y a;
имеется/имеются ли? est-ce

qu'il y a ?
иметь avoir; posséder
имя nom; prénom
иначе sinon
инвалид handicapé
индейка dinde
иногда parfois
иностранец étranger
иностранка étrangère
иностранный étranger
институт иностранных языков école de langues
инструктор moniteur; monitrice
инструмент outil
интересный intéressant
искать chercher
искренний sincère
искупаться se baigner
искусственный artificiel
искусство art
Испания Espagne
использовать utiliser
испорченный défectueux
исторический historique
история histoire (*passé*)
исчезать/исчезнуть disparaître
Италия Italie
их les; leur (*possessif*)
июль (*m*) juillet
июнь (*m*) juin

к vers
каблук talon
Кавказ Caucase
каждый chaque; **каждый день** tous les jours; **каждый раз** chaque fois
Казак Cosaque
Казахстан Kazakhstan

казачий cosaque
как comme; de la même manière que; **как?** comment ?; **как поживаете?** comment allez-vous ?; **как дела?** ça va ?
какао cacao
календарь (*m*) calendrier
калькулятор calculette
камень (*m*) pierre
камера автомобильная chambre à air
камера хранения consigne
Канада Canada
канал canal
канат corde
канатная дорога téléférique
каникулы grandes vacances
каноэ canoë
канун Нового года Saint-Sylvestre
капитан capitaine
капля goutte
капот capot
капуста chou
карандаш crayon
карбюратор carburateur
карий marron
карман poche
карта carte; plan
карта вин carte des vins
картина tableau
картинная галерея musée d'art
картон carton (*matière*)
картофель (*m*) pomme de terre
Каспийское море Mer Caspienne
касса caisse
кассета cassette
кассетный магнитофон magnétophone
кастрюля casserole
катастрофа désastre
кататься на коньках patiner

БВГДЕЁЖЗИЙЛНПРСУФХЦЧШЩЫЭЮЯ ЕЙ ЫЙ
б в г д е ё ж з и й л н п р с у ф х ц ч ш щ ы э ю я ей ый
b v g/vd i è io j z i i l n p r s ou f R ts tch ch i è iou ia (i)é i

кататься на лыжах skier
католик catholique
кафе café (bistro)
кафетерий cafétéria
качество qualité
кашель (m) toux
кашлять tousser
каштан marron
каштановый brun
каюта cabine
квартира appartement
квартирная плата loyer
квитанция reçu
кеды tennis (chaussures)
кемпинг camping (terrain)
кило kilo
километр kilomètre
кино(театр) cinéma
кинокамера caméra
кинофильм film
кипятить/вскипятить bouillir
кирпич brique
кислый acide
кисточка для бритья blaireau
кисть (f) pinceau
Китай Chine
кладбище cimetière
класс classe
классический classique
классическая музыка musique classique
класть/положить mettre
клей colle
клейкая лента scotch (R)
климат climat
клуб club
клубника fraise
ключ clé
книга livre
книжный магазин librairie
ковёр tapis

когда? quand ?
когда-нибудь jamais; **вы когда-нибудь ...?** avez-vous jamais ... ?
кожа peau; cuir
кожаный en cuir
коза chèvre
кокетничать flirter
коктейль (m) cocktail
колготки collants
колено genou
колесо roue
коллекция collection
колокол cloche
колхоз coopérative agricole
кольцо bague
команда équipe
командировка voyage d'affaires
комар moustique
комиссионный магазин magasin d'occasion
Коммунистическая партия Parti Communiste
комната chambre
компакт диск disque compact
компания société
компас boussole
комплексный обед menu (du jour)
комплимент compliment
компостер machine à composter
компьютер ordinateur
конверт enveloppe
кондитерская pâtisserie
кондиционирование воздуха climatisation
конец fin
конечно bien sûr
консервный нож ouvre-boîte
консервы conserves
консульство consulat

контактные линзы lentilles de contact

контролёр contrôleur

конфета bonbon

концерт concert

концертный зал salle de concert

кончать/кончить finir; terminer

конченый fini

коньки patins à glace

коньяк cognac

кооператив coopérative

копейка kopeck; **у меня ни копейки денег** je suis fauché

корабль (*m*) bateau

корзина panier

коридор corridor

коричневый brun

коробка carton; boîte

коробка передач boîte de vitesses

королева reine

король roi

короткий court

короткий путь raccourci

корь (*f*) rougeole

косметика maquillage; produits de beauté

костыли béquilles

кость (*f*) os

костюм complet

который quel

кофе café (*boisson*)

кофта gilet

кошелёк porte-monnaie

кошка chat

кошмар cauchemar

краб crabe

кража vol (*criminel*)

край bord

кран robinet

красивый joli; beau

красить/покрасить peindre

Красная Армия Armée Rouge

Красная площадь Place Rouge

краснуха rubéole

красный rouge

красть/украсть voler; dérober

креветка crevette

кредитная карточка carte de crédit

крем для бритья mousse à raser

крем для обуви cirage

крем для снятия косметики crème démaquillante

крепление fixation

крепость (*f*) forteresse

кресло-каталка fauteuil roulant

критическое положение urgence

кричать/закричать crier

кровать (*f*) lit

кровоточить saigner

кровь (*f*) sang; **с кровью** bleu (*steak*)

кролик lapin

кроме sauf

круглый rond

круиз croisière

крутой raide

крыло aile

Крым Crimée

крыша toit

крышка couvercle

кто? qui ?

кто-нибудь quelqu'un; une personne

кто-то quelqu'un

кувшин pot

кузен cousin

кузина cousine

кукла poupée

кулинария traiteur

купальная шапочка bonnet de bain

купальник maillot de bain

купаться/искупаться se baigner

купе compartiment

купить acheter
купол coupole
курить/закурить fumer
курица poule
курс валюты cours du change
куртка veste; anorak
куртка от дождя K-way (R)
кусок morceau
кухня cuisine
кухонная посуда ustensiles de cuisine
кухонное полотенце torchon à vaisselle

ладно d'accord
лак для волос laque
лак для ногтей vernis à ongles
лампа lampe
лампочка ampoule (*électrique*)
ластик gomme
Латвия Lettonie
лгать/солгать mentir
левша gaucher
левый gauche; **левая сторона** côté gauche
леденец sucette
лезвие бритвы lame de rasoir
лейкопластырь pansement adhésif
лекарство médicament
ленивый paresseux
Ленинград Léningrad
лес bois; forêt
лесной орех noisette
лестница escalier
летать/лететь voler (*dans l'air*)
лето été

лечь se coucher
лёгкие poumons
лёгкий léger; facile
лёд glace (*eau gelée*)
лёд для напитков glaçon
лётчик pilote
ливень (*m*) averse
ликёр liqueur
лимон citron
лимонад limonade
лист feuille
литр litre
лифт ascenseur
лихорадка fièvre
лицо visage
лишний supplémentaire
лишний вес багажа excédent de bagages
лоб front
ловить/поймать attraper
лодка bateau
лодыжка cheville
ложиться/лечь se coucher
ложка cuiller
ложный faux
локомотив locomotive
локоть (*m*) coude
ломать/сломать casser
ломтик tranche
Лондон Londres
лосось (*f*) saumon
лосьон для загара lait solaire
лосьон для снятия косметики démaquillant
лошадь (*f*) cheval
лук oignon
луна lune
лучше мieux; **лучше чем** meilleur que
лучший: самый лучший le meilleur

лыжи skis
лыжные ботинки chaussures de ski
лыжный спорт ski
лысый chauve
любезный aimable
любимый préféré
любить aimer
любовь (f) amour
люди gens

Мм

M messieurs; métro
магазин magasin
магазин беспошлиной торговли boutique hors taxes
магнитофонная кассета bande magnétique
мазь (f) pommade
май mai
майонез mayonnaise
макаронные изделия pâtes
маленький petit; court
малина framboise
мало pas beaucoup de; мало времени pas beaucoup de temps
мальчик garçon (*enfant*)
мама maman
маникюрные ножницы coupe-ongles
маргарин margarine
марка timbre
март mars
маршрут itinéraire
маслина olive
масло beurre; huile
масло для загара huile solaire
матрас matelas
матч match

мать mère
машина voiture; véhicule
мебель (f) meubles
медленно lentement
медленный lent
медовый месяц voyage de noces
медсестра infirmière
медуза méduse
между entre
междугородный автобус car
международный international
мелочь (f) monnaie
меньше moins
меню carte (*des mets*)
менять/поменять changer
местность (f) région
место place; siège
месяц mois
месячные règles
металл métal
метр mètre
метро métro
мех fourrure
механик mécanicien
меховая шапка chapeau en fourrure
мешать déranger; mélanger
мёд miel
мёртвый mort
мидии moules
милиционер agent de police
милиция police
минеральная вода eau minérale
минута minute
мир monde; paix
многие beaucoup (de gens)
много beaucoup (de)
мода mode
модный à la mode
может быть peut-être
мой/моё/моя mon, ma; le mien, la mienne
мокрый mouillé

БВГДЕЁЖЗИЙЛНПРСУФХЦЧШЩЫЭЮЯ ЕЙ ЫЙ
б в г д е ё ж з и й л н п р с у ф х ц ч ш щ ы э ю я ей ый
b v g/v d iè io j z i i l n p r s ou f R ts tch ch ch i è iou ia (i)é i

Молдавия Moldavie
моллюски crustacés
молния éclair; fermeture
молодой jeune; **молодые люди** les jeunes
молоко lait
море mer
морковь (*f*) carotte
мороженое glace (*à manger*)
мороз gel
морозилка congélateur
морские продукты fruits de mer
Москва Moscou
мост pont
мотор moteur
моторная лодка hors-bord
мотоцикл moto
мочевой пузырь vessie
мочь/смочь: я могу/она может je peux/elle peut; **вы можете ...?** pouvez-vous ... ?
моя ma
муж mari
мужчина homme; monsieur
музей musée
музыка musique
музыкальный инструмент instrument de musique
мука farine
муравей (*m*) fourmi
мусор ordures
мусорный ящик poubelle
муха mouche
мы nous
мыло savon
мыть/помыть laver
мыть/помыть посуду faire la vaisselle
мышца muscle
мышь (*f*) souris
мягкий doux (*au toucher*)

мясной магазин boucherie
мясо viande
мяч balle

на sur; à
наверху en haut (*dans maison*); **там наверху** là-haut
на вынос à emporter
над au-dessus de
над головой au-dessus
надеяться espérer
надо: мне надо ... j'ai besoin de ...; je dois ...
надоесть: мне надоело ... j'en ai marre de ...
назад en arrière; **три дня назад** il y a trois jours
название nom; titre
найти trouver
наконец enfin
налево à gauche (de)
наличные: платить наличными payer comptant
нападать/напасть attaquer
написать écrire
напиток boisson
наполнять/наполнить remplir
направление direction
направо vers la droite
например par exemple
напрокат à louer
напротив en face de
народ peuple
народная музыка musique folklorique
нарочно exprès; délibérément
нас/нам/нами nous

RUSSE-FRANÇAIS

насекомое insecte
насморк rhume; **у меня насморк** je suis enrhumé
настольный теннис ping-pong
настоящий authentique
настроение humeur
наука science
научить enseigner
нахальный coquin
находить/найти trouver
национальность (f) nationalité
начало début
начальник patron
начинать/начать commencer
наш/наша/наше notre; le/la nôtre
наши nos
не pas
небо ciel
неважно ça ne fait rien
невероятный incroyable
невеста fiancée; mariée
невиноват: я невиноват je suis innocent
невозможно c'est impossible !
негатив négatif
недалеко (от) près (de)
неделя semaine; **в неделю** par semaine
недоразумение malentendu
независимый indépendant
не за что je vous en prie
некоторые quelques-uns
нелепый ridicule
немедленно immédiatement
немецкий язык allemand
немного un petit peu (de)
ненавидеть détester
необходимо c'est nécessaire; il faut
неправильно c'est faux
неприятный désagréable
нервное расстройство dépression

нервный nerveux
несколько plusieurs; quelques
несносный insupportable
нести porter
нет non; pas de
неустойчивый variable
нигде nulle part
нижнее бельё sous-vêtements
низкий bas
никогда jamais
никто personne (*nul*)
ни ... ни ... ni ... ni ...
нитка fil
ничего rien
но mais
новости nouvelles
новый neuf; nouveau
Новый год Nouvel An; **с Новым годом!** bonne année !
нога jambe; pied
ноготь (m) ongle
нож couteau
ножницы ciseaux
ноль (m) zéro
номер numéro; chambre d'hôtel
номер на двоих chambre pour deux personnes
номерной знак plaque minéralogique
нормально pas mal
нормальный normal
нос nez
носить/нести porter
носки chaussettes
носовой платок mouchoir
ночная рубашка chemise de nuit
ночь (f) nuit; **спокойной ночи** bonne nuit
ноябрь (m) novembre
нравиться: мне нравится bien aimer
нырять/нырнуть plonger

Б В Г Д Е Ё Ж З И Й Л Н П Р С У Ф Х Ц Ч Ш Щ Ы Э Ю Я ЕЙ ЫЙ
б в г д е ё ж з и й л н п р с у ҍ х ц ч ш щ ы э ю я ей ый
b v g/vd iè io j z i i l n p r s ou f R ts tch ch ch i è iou ia (i)é i

Oo

o à propos de
оба/обе tous/toutes les deux
обгонять/обогнать doubler (*en voiture*)
обед déjeuner
обещать promettre
обёрточная бумага papier cadeau
обижать/обидеть vexer
облако nuage
облачный nuageux
обогнать doubler (*en voiture*)
обогреватель (*m*) radiateur
обратный билет aller retour
обручён fiancé
обслуживание service
обслуживать/обслужить servir
объектив objectif (d'appareil photo)
объяснение explication
объяснять/объяснить expliquer
обыкновенный habituel
обычай coutume
обычно d'habitude
общежитие auberge de jeunesse
общество société
овощи légumes
овощной магазин marchand de légumes
огнетушитель (*m*) extincteur
огонь (*m*) feu
ограничение скорости limitation de vitesse
огурец concombre
одевать/одеть habiller
одеваться/одеться s'habiller
одежда vêtements

одеколон eau de toilette
одеколон после бритья after-shave
одеть habiller
одеться s'habiller
одеяло couverture
один seul; un (*nombre*)
одинаковый identique; pareil
одна seule; une (*nombre*)
одно un (*nombre*)
одноразовые пелёнки protège-couches
одолжить prêter
ожерелье collier
ожог brûlure
озеро lac
окно fenêtre
около près de; environ
октябрь (*m*) octobre
омар homard
омлет omelette
он il
она elle
они ils
оно il
опаздывать/опоздать (на) arriver/être en retard; rater
опасность (*f*) danger
опасный dangereux
опера opéra
операция opération
опоздать (на) arriver/être en retard; rater
опрокинуть renverser
оптика opticien
оптимист optimiste
опухший enflé
оранжевый orange (*couleur*)
организация organisation
организовать organiser
орех noix

RUSSE-FRANÇAIS

оркестр orchestre
оса guêpe
осёл âne
особенно spécialement
особняк villa
особый spécial
оставаться/остаться rester
оставить oublier
остановиться s'arrêter;
 остановитесь! arrêtez !
остановка arrêt
остановка автобуса arrêt de bus
остаток reste
остаться rester
осторожный prudent;
 осторожно! attention !
остров île
острый piquant (*goût*)
ось (*f*) essieu
от de; от Москвы до
 Ленинграда de Moscou à
 Léningrad
отбивная котлета côtelette
ответ réponse
ответственный responsable
отвечать/ответить répondre
отвёртка tournevis
отвратительный dégoûtant
отдел rayon
отделение милиции
 commissariat
отдельно séparément
отдельный séparé
отдельный номер chambre
 pour une personne
отдых vacances; repos
отдыхать/отдохнуть reposer: se
 reposer
отец père
открывалка ouvre-bouteille
открывать/открыть ouvrir
открытка carte postale
открытый ouvert

отлив marée basse
отличный excellent
отменять/отменить annuler
отопление chauffage
отправлять/отправить poster
отъезд départ
официант garçon (*serveur*)
официантка serveuse
очаровательный ravissant
очевидец témoin
очевидный: это очевидно c'est
 évident
очень beaucoup; très; очень
 приятно! enchanté !
очередь (*f*) queue; стоять в
 очереди faire la queue
очки lunettes
очки от солнца lunettes de soleil
ошибка erreur
ошибиться: я ошибся je me
 suis trompé

Пп

падать/упасть tomber
падать/упасть в обморок
 s'évanouir
пакет sac
палатка tente
палец doigt
палец ноги orteil
палуба pont (*de bateau*)
пальто manteau
памятник monument
паника panique
папа papa
пара paire
Париж Paris
парикмахерская coiffeur
парк parc
паром ferry-boat; bac

пароход bateau à vapeur

партия parti

парус voile

парусник bateau à voile

парусный спорт voile (*sport*)

паспорт passeport

пассажир passager

Пасха Pâques

паук araignée

пахнуть sentir (*odeur*)

пачка paquet

паштет pâté

педаль (*f*) pédale

пейзаж paysage

пелёнка couche (*de bébé*)

пенициллин pénicilline

пенсионер retraité

пенсионерка retraitée

пепельница cendrier

первое блюдо entrée (*de repas*)

первый premier

первый класс première (*classe*)

перевал col (*de montagne*)

переводить/перевести traduire

переводчик interprète; traducteur

перед devant; juste avant

переезд passage à niveau

перейти traverser

перекрёсток croisement

перелом fracture

переносная кроватка porte-bébé

переодеться se changer

переполненный bondé

пересадка changement (*transport*); сделать пересадку changer (*de transport*)

перестройка perestroïka; restructuration

пересылать/переслать faire suivre

переулок ruelle

переходить/перейти traverser

переходник adaptateur; prise multiple

перец poivre; poivron

перочинный ножик canif

персик pêche (*fruit*)

перчатки gants

песня chanson

песок sable

петь chanter

печатный материал imprimé

печень (*m*) foie

печенье biscuit

пешеход piéton

пешеходная зона zone piétonne

пешеходный переход passage clouté

пешком à pied

пещера grotte

пиво bière

пилка для ногтей lime à ongles

пинцет pince à épiler

пирог tarte

пирожное petit gâteau; pâtisserie

писать/написать écrire

письмо lettre

питательный lourd (*nourriture*)

пить/выпить boire

питьевая вода eau potable

пицца pizza

пиццерия pizzéria

пишущая машинка machine à écrire

пищевое отравление intoxication alimentaire

плавание natation

плавать/плыть nager

плавки slip de bain

плакат poster

плакать pleurer
план plan
пластинка disque
пластмассовый plastique
платить/заплатить payer
платок foulard
платформа quai (*de gare*)
платье robe
плащ imperméable
племянник neveu
племянница nièce
плечо épaule
плёнка pellicule
пломба plombage
плоский plat
плоскогубцы pince
плохо mal
плохой mauvais
площадь (*f*) place (*esplanade*)
плыть nager
плэйер walkman (*R*)
пляж plage
по le long (de); selon; à
по-французски en français
побриться se raser
повар cuisinier
поверить croire
поворачивать/повернуть tourner
повредить endommager
повторять/повторить répéter
повязка pansement
погладить repasser
погода temps (*météo*)
погулять aller se promener
под sous; dessous
подавленный déprimé
подарить offrir (*cadeau*)
подарок cadeau
подбородок menton
подвал sous-sol
подвозить/подвезти emmener
поделиться partager
подержанный d'occasion

поджаренный grillé
поджаренный хлеб toast
подмётка semelle
подниматься/подняться monter
поднос plateau
подобный semblable
подождать attendre
подписать signer
подпись (*f*) signature
подросток adolescent(e)
подруга amie; petite amie
подсос starter
подтвердить confirmer
подумать penser
подушка oreiller
подфарники feux de position
подъёмник remonte-pente;
  télésiège
поезд train
поездка excursion; voyage
пожалуйста s'il vous plaît
пожар incendie
пожарная команда pompiers
пожелание: с наилучшими
  пожеланиями meilleurs voeux
позаботиться о s'occuper de
позавчера avant-hier
позвать appeler
позвонить téléphoner à
поздно il est tard
поздравляю! félicitations !
познакомить présenter
познакомиться faire
  connaissance avec; rencontrer
поймать attraper
пока pendant que; пока!
  salut !
показывать/показать montrer
покидать/покинуть laisser;
  abandonner
по крайней мере au moins
покрасить peindre
покупать/купить acheter

покупки shopping
пол plancher
полдень (m) midi
поле champ
полезный utile
политика politique
политический politique
поллитра demi-litre
полночь (f) minuit
полный plein
половина moitié
положить mettre
полотенце serviette de bain
получать/получить recevoir
полчаса demi-heure
поменять changer
померить essayer (*vêtements*)
помидор tomate
помнить/вспомнить se souvenir de
помогать/помочь aider
помощь (f) aide
помыть laver
помыться se laver
понедельник lundi
понимать/понять comprendre
понос diarrhée
поп-музыка musique pop
попробовать goûter
порт port
портвейн porto
портфель (m) serviette (*pour documents*)
порция portion
порядок: у меня всё в порядке ça va
посадка embarquement
посадочный талон carte d'embarquement
посещать/посетить visiter
послание message

послать envoyer
после après
последний dernier
послезавтра après-demain
послушать écouter
посмотреть (на) regarder
посольство ambassade
поставить mettre; garer
постараться essayer
постель (f) lit
постирать faire la lessive
посуда vaisselle (*propre*)
посылать/послать envoyer
посылка colis
потерять perdre
потеть transpirer
потолок plafond
потом puis; ensuite
потому что parce que
потрясающий super
похмелье gueule de bois
похожий: быть похожим на ressembler à
поцеловать embrasser
поцелуй baiser
почему? pourquoi ?
починить réparer
почки reins; rognons
почта poste; courrier
почтальон facteur
почти presque
почтовая бумага papier à lettres
почтовый ящик boîte à lettres
пояс ceinture
правильный correct; juste (*exact*)
правительство gouvernement
православная церковь l'Eglise Orthodoxe russe
правый droite; **правая сторона** côté droit
праздник jour férié

110

празднование fête
практичный pratique
прачечная blanchisserie
прачечная-самообслуживания lavomatic
пребывание séjour
предварительный заказ réservation
предки ancêtres
предлагать/предложить offrir
предохранитель (m) fusible
предпочитать préférer
представитель (m) représentant
презерватив préservatif
прекрасный beau; fin; parfait
прелестный joli
преподаватель professeur
преувеличивать/преувеличить exagérer
Прибалтика Etats Baltes
прививка vaccination
привлекательный séduisant
привычка habitude
привязной ремень ceinture de sécurité
приглашать/пригласить inviter
приглашение invitation
пригород banlieue
приготовить cuire; préparer
приезд arrivée
приезжать/приехать arriver
приземляться/приземлиться atterrir
прийти venir
прикурить: у вас есть прикурить? avez-vous du feu?
прилив marée haute
пример exemple
примерно environ
принадлежать appartenir
принимать/принять accepter
приносить/принести apporter

приправа к салату assaisonnement
природа nature
приходить/прийти venir
прицеп remorque
причал quai (de port)
причина cause
приятный agréable; sympathique; приятного аппетита! bon appétit!
пробка bonde; embouteillage
проблема problème
пробовать/попробовать goûter
проверять/проверить vérifier
проглотить avaler
прогноз погоды météo
программа programme
прогулка promenade
продавать/продать vendre
продаётся à vendre
продажа vente
проигрыватель (m) électrophone
произносить/произнести prononcer
прокат location
прокат автомобилей location de voitures
прокол crevaison
промышленность (f) industrie
проснуться se réveiller
проспект prospectus; boulevard
простите pardon
простой simple
простокваша yaourt
простыня drap
протестант Protestant
против contre
противозачаточное средство contraceptif
прохладный frais
процент pour cent
прочитать lire
прошлый dernier

Б В Г Д Е Ё Ж З И Й Л Н П Р С У Ф Х Ц Ч Ш Щ Ы Э Ю Я ЕЙ ЫЙ
б в г д е ё ж з и й л н п р с у ф х ц ч ш щ ы э ю я ей ый
b v g/v d iè io j z i i l n p r s ou R ts tch ch chi i è iou ia (i)é i

проявлять/проявить développer
пруд étang
пружина ressort
прыгать/прыгнуть sauter
прыщик bouton (*sur la peau*)
прямо tout droit
прямой direct
пряник sorte de pain d'épices
пряность (*f*) épice
птица oiseau; volaille
публика public
пуговица bouton (*de vêtement*)
пустой vide
путеводитель (*m*) guide
путешествовать voyager
путь (*m*) chemin
пчела abeille
пылесос aspirateur
пьеса pièce de théâtre
пьяный ivre
пятка talon
пятница vendredi
пятно tache

Pp

работа travail
работать travailler
рад: я рад je suis content
радио radio
радуга arc-en-ciel
раз fois; один раз une fois
разбудить réveiller
разве? vraiment ?
разведена divorcée
разведён divorcé
развилка embranchement
разгар: в разгар сезона en haute saison

разговаривать parler
разговор conversation
разменять faire de la monnaie
размер taille (*grandeur*)
разные différents
разочарованный: я разочарован je suis déçu
разрешать/разрешить laisser
разрешение permis
разумный raisonnable
район quartier
рак langouste
раковина évier
ракушка coquillage
рана blessure
раненый blessé
рано tôt; en avance
раскладушка lit de camp
распаковать (чемодан) défaire sa valise
расписание horaire
распределитель (*m*) **зажигания** delco
распродажа soldes
рассказ histoire (*racontée*)
рассказать raconter
расслабиться se détendre
расстояние distance
расстройство желудка indigestion
растворимый кофе café soluble
растение plante
расчёска peigne
ребёнок enfant; bébé
ребро côte (*du corps*)
ревматизм rhumatismes
ревнивый jaloux
регистрация réception
регистрация багажа enregistrement des bagages
регулировщик contractuel

RUSSE-FRANÇAIS

редкий rare
резать couper
резина caoutchouc
резиновая тесьма élastique
резиновые сапоги bottes de
  caoutchouc
рейс vol (*d'avion*)
река rivière
рекомендовать recommander
религия religion
ремень вентилятора courroie
  du ventilateur
ремесленные изделия artisanat
ремонт réparation; ремонт
  обуви cordonnier
рентгеновский снимок radio
  (*radiographique*)
ресторан restaurant
рецепт ordonnance; recette
решать/решить décider
решение décision
рис riz
родина: на родине chez moi,
  dans mon pays
родители parents (*père et mère*)
родиться: я родился в ... году je
  suis né en ...
родственники parents
рождество Noël; с рождеством!
  joyeux Noël !
роза rose
розетка prise (*boîtier*)
розовый rose
рок-музыка rock
ром rhum
роман roman
рот bouche
рубашка chemise
рубленое мясо viande hachée
рубль (*m*) rouble
руины ruines
рука bras; main
рулевое управление direction

(*de voiture*)
руль (*m*) volant (*de voiture*)
русская Russe (*femme*)
русский russe; по-русски en
  russe
Русь Russie (*ancien nom pour
  Russie*)
ручей ruisseau
ручка poignée; stylo
ручная кладь bagages à main
ручной тормоз frein à main
рыба poisson
рыбная ловля pêche (*sport*)
рыбный магазин poissonnerie
рыжая rousse
рыжий roux
рынок marché
рюкзак sac à dos
рюмка verre à pied
рюмка для яйца coquetier
рядом (с) à côté (de)

с avec
с нарочным par exprès
сад jardin
садиться/сесть s'asseoir
салат laitue; salade
салфетка serviette
самолёт avion; самолётом par
  avion
самообслуживание self-service
сапог botte
сардина sardine
сауна sauna
сахар sucre
свадьба mariage
свежий frais
свекровь belle-mère (*mère du
  mari*)

113

БВГДЕЁЖЗИЙЛНПРСУФХЦЧШЩЫЭЮЯ ЕЙ ЫЙ
бвгдеёжзийлнпрсуфхцчшщыэюя ей ый
b v g/d iè io j z i i l n p r s ou f R ts tch ch chi i è iou ia (i)é i

свет lumière
светлое пиво bière blonde
светофор feux de signalisation
свеча bougie
свеча зажигания bougie (*de voiture*)
свёкор beau-père (*père du mari*)
свёрток paquet
свинина porc
свинья cochon
свитер pull(over)
свободный libre
свояченица belle-soeur
связать tricoter
связываться/связаться (с) prendre contact (avec)
святой saint
священник prêtre
сгореть brûler
сделать faire; préparer
север nord; **к северу от** au nord de
сегодня aujourd'hui
сегодня вечером ce soir
сейчас maintenant
секрет secret
секс sexe
секунда seconde (*temps*)
семья famille
сенная лихорадка rhume des foins
сентябрь (*m*) septembre
сердечный приступ crise cardiaque
сердитый fâché
сердце coeur
серебро argent (*métal*)
середина milieu
Серп и молот la faucille et le marteau
серый gris

серьги boucles d'oreille
серьёзный sérieux
сестра soeur
сесть s'asseoir
Сибирь Sibérie
сигара cigare
сигарета cigarette
сильный fort
синий bleu (*adjectif*)
синяк bleu (*sur la peau*)
сказать dire; parler
скала falaise; rocher
скандальный scandaleux
скатерть (*f*) nappe
сквозняк courant d'air
склон piste; pente
сковорода poêle
скользкий glissant
сколько? combien ?; **сколько вам лет?** quel âge avez-vous ?
скорая помощь ambulance; premiers secours
скорее plutôt; **скорее!** vite !
скоро bientôt
скорость (*f*) vitesse
скрывать/скрыть cacher
скучный ennuyeux (*lassant*)
слабительное laxatif
слабый faible
сладкий doux (*au goût*)
слайд diapositive
слева à gauche
следовать suivre
следующий prochain; suivant; **в следующем году** l'année prochaine
слепой aveugle
слива prune
сливки (*pl*) crème
слишком ... trop ...; **слишком много** trop

словарь (*m*) dictionnaire
слово mot
сложный compliqué
сломанный cassé
сломать casser
сломаться tomber en panne
слуховой аппарат audiophone
случай hasard; случайно par hasard
случаться/случиться arriver; se passer
слушать/послушать écouter
слышать/услышать entendre
смерть (*f*) mort
сметь oser
смешать mélanger
смеяться/засмеяться rire
смотреть/посмотреть (на) regarder
смочь pouvoir
смутно vaguement
сначала d'abord
снег neige
снова de nouveau
снотворное somnifère
сноха belle-fille (*femme du fils*)
собака chien
соболь zibeline
собор cathédrale
собственный propre (*à soi*)
советский soviétique
Советский Союз Union Soviétique
современный moderne
согласен: я согласен je suis d'accord
согласованность расписания correspondance
Соединённые Штаты Америки Etats-Unis
сожаление: к сожалению malheureusement
сок jus

солгать mentir
солёный salé
солнечный ensoleillé
солнечный свет soleil
солнце soleil
соль (*f*) sel
сон rêve; somme
сопровождать accompagner
сосед voisin
соседка voisine
сосиска saucisse
соскучиться: я соскучился по вам vous me manquez
соус sauce
сохранять/сохранить garder
социализм socialisme
спальное место couchette
спальный вагон wagon-lit
спальный мешок sac de couchage
спальня chambre à coucher
спаржа asperges
спасибо merci; спасибо большое merci beaucoup
спать dormir
специальность (*f*) spécialité
спешить se dépêcher
СПИД SIDA
спидометр compteur (*de voiture*)
спина dos
список liste
спичка allumette
спорт sport
справа à droite (de)
справедливый juste; équitable
справка renseignement
справочная renseignements (*téléphone*)
спрашивать/спросить demander
спускаться/спуститься descendre
спущенная шина pneu crevé
среда mercredi

Б В Г Д Е Ё Ж З И Й Л Н П Р С У Ф Х Ц Ч Ш Щ Ы Э Ю Я ЕЙ ЫЙ
б в г д е ё ж з и й л н п р с у ф х ц ч ш щ ы э ю я ей ый
b v g/v d iè io j z i i l n p r s ou R ts tch ch i è iou ia (i)é i

среди parmi
среднего размера moyen (*taille*)
срок période
срочный urgent
СССР URSS
ставить/поставить mettre; garer
стакан verre
становиться/стать devenir
станция station (*de métro*)
станция техобслуживания garage
стараться/постараться essayer
старый vieux
стать devenir
стекло verre
стена mur
стенокардия angine de poitrine
стиральная машина machine à laver
стиральный порошок lessive (*en poudre*)
стирать/постирать faire la lessive
стоить coûter
стол table
столкновение collision
столовая salle à manger
столовые приборы couverts
сторона côté
стоянка parking
стоять se tenir (debout)
страна pays
страница page
странный bizarre
страх peur
страхование assurance
стрижка coupe de cheveux
стройный mince
студент étudiant
студентка étudiante
стул chaise

стыдно: мне стыдно j'ai honte
стюард steward
стюардесса hôtesse de l'air
суббота samedi
сувенир souvenir
судорога crampe
сумасшедший fou
сумка sac; cabas
сумочка sac à main
суп soupe; potage
сутки journée
сухой sec
сухой паёк casse-croûte
сушить sécher
сцепление embrayage
счастливый heureux; счастливого пути! bon voyage !
счастье bonheur; к счастью heureusement
счёт addition; note
США USA
сшить coudre
съесть manger
сыграть jouer
сын fils
сыр fromage
сырой humide; cru
сюрприз surprise

Тт

та celui-là, celle-là
табак tabac
таблетка pilule; comprimé
так si; tellement; comme ceci; так! alors !; так же красиво, как ... aussi beau que ...
также aussi

так как comme; parce que
так себе comme ci comme ça
такси taxi
талия taille (*partie du corps*)
тальк talc
там là; у; там внизу là-bas
таможня douane
таможенная декларация formulaire de déclaration de douane
тампон tampon
танцевать danser
тапочки pantoufles
таракан cafard
тарелка assiette
твёрдый dur
твой/твоя/твоё ton, ta; le tien, la tienne
те ceux-là, celles-là
театр théâtre
театральная касса guichet
тебя te
тебя/тебе/тобой toi
телевизор télévision
телеграмма télégramme
тележка chariot
телефон téléphone
телефон-автомат téléphone à pièces
телефонная будка cabine téléphonique
телефонный код indicatif
телефонный справочник annuaire
тело corps
телятина veau
температура température
тени для век ombre à paupières
теннис tennis
тень (*f*) ombre
тепло il fait chaud
термометр thermomètre
термос thermos

терять/потерять perdre
тесный étroit
тесть (*m*) beau-père (*père de la femme*)
течь (*f*) fuite (*de tuyau*)
тёмный sombre
тёплый chaud
тётя tante
тёща belle-mère (*mère de la femme*)
тихий tranquille
тише! silence !
тишина silence
ткань (*f*) tissu
то celui-là, celle-là
тогда alors
тоже aussi; я тоже moi aussi
толкать/толкнуть pousser
толпа foule
толстый gros (*personne*)
только seulement
тонкий mince
торговый центр centre commercial
тормоза freins
тормозить/затормозить freiner
тот/та/то celui-là, celle-là
тот же самый même (*identique*)
тощий maigre
трава herbe
травы fines herbes
традиционный traditionnel
традиция tradition
тратить dépenser
требовать exiger
тревога alarme
тренировочный костюм survêtement de sport
трогать/тронуть toucher
тройка troïka
тропинка sentier
тротуар trottoir
трубка pipe

117

Б В Г Д Е Ё Ж З И Й Л Н П Р С У Ф Х Ц Ч Ш Щ Ы Э Ю Я ЕЙ ЫЙ
б в г д е ё ж з и й л н п р с у ф х ц ч ш щ ы э ю я ей ый
b v g/d iè io j z i i l n p r s ou f R ts tch ch chi i è iou ia (i)é i

трубопровод tuyau
трудный difficile
трусики culotte
трусы slip
туалет toilettes
туалетная бумага papier hygiénique
туман brouillard
тунец thon
туннель (*m*) tunnel
тургруппа groupe de voyage organisé
турист touriste
туристическая поездка voyage organisé
Турция Turquie
туфли chaussures
тушь для ресниц mascara
ты tu
тюрьма prison
тяжёлый lourd
тянуть tirer

у à; chez; à côté de; **у Ирины** chez Irina; **у вас есть...?**; avez-vous ... ?; **у меня нет ...** je n'ai pas ...
убивать/убить tuer
убирать/убрать enlever
уверен: я уверен j'en suis sûr
увлажняющий крем crème hydratante
увлекательный passionnant
угол coin
удар attaque (*d'apoplexie*)
ударять/ударить frapper
удача chance; succès

удивительный surprenant
удлинитель rallonge
удобный confortable
удостоверение certificat
уезжать/уехать partir
ужалить piquer
ужасный épouvantable; affreux
уже déjà
ужин dîner
ужинать dîner
Узбекистан Ouzbékistan
узкий étroit
узнавать/узнать reconnaître
уйти partir
указатель поворота (*m*) clignotant
укладывать/уложить вещи faire ses bagages
укол piqûre
Украина Ukraine
украсть voler (*dérober*)
уксус vinaigre
укус morsure; piqûre
улица rue; **на улице** dehors
уличное движение circulation
уложить вещи faire ses bagages
улучшить améliorer
улыбаться/улыбнуться sourire
улыбка sourire
умелый astucieux
умирать/умереть mourir
умный intelligent
умывальник lavabo
универмаг grand magasin
универсам supermarché
университет université
упасть tomber
Урал montagnes de l'Oural
уродливый laid
урок leçon
уронить laisser tomber

услышать entendre
успеха succès; желаю успеха!
  bonne chance !
успокаивать/успокоить calmer
усталый fatigué
устрица huître
устройство appareil
усы moustache
утка canard
утонуть se noyer
утро matin; доброе утро bonjour
утюг fer à repasser
ухо oreille
уходить/уйти partir
учитель enseignant
учиться apprendre

Фф

фамилия nom de famille
фары phares (*de voiture*)
фасоль (*f*) haricots
февраль (*m*) février
фейерверки feux d'artifice
феминист féministe
фен sèche-cheveux
фильтр filtre
Финляндия Finlande
фиолетовый violet
флаг drapeau
фламастер stylo-feutre
фольга papier d'aluminium
фонарик lampe de poche
фонтан fontaine
фотоаппарат appareil-photo
фотограф photographe
фотографировать prendre des
  photos
фотография photographie
Франция France
француженка Française

француз Français
французский français
французский язык français
  (*langue*)
ФРГ RFA
фрукты fruits
фунт livre
фуражка casquette
фургон camionnette
футбол football
футболка T-shirt

Xx

халат robe de chambre
химчистка teinturier
хлеб pain
хлопок coton
хобби hobby
ходить marcher
хозяин propriétaire; hôte
хозяйственный магазин
  quincaillerie
хоккей hockey (sur glace)
холм colline
холодильник frigo
холодный froid
холостяк célibataire
хороший beau; bon
хорошо bien; мне хорошо je me
  sens bien; хорошо! très bien !
хотеть vouloir; вы хотите ...?
  voulez-vous ... ?; я хотел бы
  ... j'aimerais ...; я хочу je veux
хотя bien que
хочеться: мне хочется j'ai envie
  de; мне хочется пить j'ai soif
храбрый courageux
храпеть ronfler
хрустящий картофель chips
художник artiste

Б В Г Д Е Ё Ж З И Й Л Н П Р С У Ф Х Ц Ч Ш Щ Ы Э Ю Я ЕЙ ЫЙ
б в г д е ё ж з и й л н п р с у ф х ц ч ш щ ы з ю я ей ый
b v g/v d iè io j z i i l n p r s ou R ts tch ch i è iou ia (i)é i

худой maigre
худший le/la pire
хуже pire

царь tsar
цвет couleur
цветная капуста chou-fleur
цветная плёнка pellicule
  couleur
цветок fleur
цветочный магазин fleuriste
целовать/поцеловать embrasser
целый entier
цена prix (argent)
центр centre
центр города centre-ville
центральное отопление
  chauffage central
цепочка chaîne; collier
церковь (f) église
цыплёнок poulet

чаевые pourboire
чай thé
чай с лимоном thé citron
чайка mouette
чайник bouilloire; théière
чартерный рейс charter
час heure; который час? quelle
  heure est-il ?; в 3 часа à 3
  heures; 3 часа дня 3 heures
  de l'après-midi
частный privé

часто souvent
часть (f) partie; передняя часть
  avant
часы montre; horloge
чашка tasse
чек chèque
чековая книжка chéquier
человек personne
челюсть (f) mâchoire
чем: более некрасивый, чем...
  plus laid que ...
чемодан valise
через par; à travers
череп crâne
чеснок ail
честный honnête
четверг jeudi
четверть (f) quart
Чехословакия Tchécoslovaquie
чёрно-белый noir et blanc
Чёрное море Mer Noire
чёрный noir
чинить/починить réparer
число date
чистить nettoyer
чистый propre
читать/прочитать lire
чихать/чихнуть éternuer
что que; quoi; что вы сказали?
  pardon?; я думаю, что ... je
  pense que ...
что-нибудь quelque chose;
  n'importe quoi
что-то quelque chose
чувствительный sensible
чувство sentiment
чувствовать sentir
чулки bas
чуть тёплый tiède
чьё: чьё это? c'est à qui ?

шампунь (*m*) shampoing
шариковая ручка stylo à bille
шарф écharpe
швейцар portier
Швейцария Suisse
шевелиться/шевельнуться bouger
шезлонг chaise longue
шерсть (*f*) laine
шея cou
шёлковый en soie
шина pneu
широкий large
шить/сшить coudre
шкаф armoire
школа école
шляпа chapeau
шнурки lacets
шок choc
шоколад chocolat
шорты shorts
шпинат épinards
штепсельная вилка prise
(*électrique*)
штопор tire-bouchon
штраф amende
шум bruit
шумный bruyant
шурин beau-frère
шутка plaisanterie

щётка brosse

экипаж équipage
экспонометр photomètre
эластичный élastique
электрический électrique
электричество électricité
эпилептик épileptique
Эстония Estonie
этаж étage; первый этаж
rez-de-chaussée
это cela; ça; c'est
этот/эта/это ce, cette

юбка jupe
ювелирные изделия bijoux
ювелирный магазин bijouterie
юг sud; к югу от au sud de
юмор humour

я je
яблоко pomme
яблочный пирог tarte aux
pommes
яд poison
язык langue
яичница genre d'omelette
яйцо oeuf
яйцо вкрутую oeuf dur
яйцо всмятку oeuf à la coque
январь (*m*) janvier
ярлык étiquette
ярмарка foire
ясный clair

Il n'existe pas d'*ARTICLES* en russe, ainsi les noms peuvent avoir trois sens différents selon le contexte. Par exemple :

газета

peut signifier 'un journal', 'le journal' ou 'du journal'.

Le russe a trois *GENRES* : le masculin, le féminin et le neutre. Le genre est déterminé par la terminaison du nom (les exceptions sont données dans le dictionnaire) :

	m	*f*	*n*
terminaison	consonne /й	а/я	о/е

Les *PLURIELS* se forment de la manière suivante :

	sing	*pluriel*
m	terminé par consonne	ajouter ы ou и
	terminaison en й	changer la finale en и
f	terminaison en а	changer а en ы ou и
	terminaison en я	changer я en и
n	terminaison en о	changer о en а
	terminaison en е	changer е en я
m/f	terminaison en ь	changer ь en и

стол/столы	table/tables	**деревня/деревни**	village/villages
флаг/флаги	drapeau/drapeaux	**место/места**	place/places
музей/музеи	musée/musées	**решение/решения**	décision/décisions
стена/стены	mur/murs	**дверь/двери** (f)	porte/portes
книга/книги	livre/livres	**автомобиль/автомобили** (m)	voiture/voitures

Il y a six *CAS* en russe : le nominatif, l'accusatif, le génitif, le datif, l'instrumental et le prépositif. La terminaison des cas est :

masculin	SINGULIER		
	théâtre	tramway	voiture
nom/acc	**театр**	**трамвай**	**автомобиль**
gén	**театра**	**трамвая**	**автомобиля**
dat	**театру**	**трамваю**	**автомобилю**
instr	**театром**	**трамваем**	**автомобилем**
prép	**театре**	**трамвае**	**автомобиле**

GRAMMAIRE

féminin	carte	tour	porte	excursion
nom	карта	башня	дверь	экскурсия
acc	карту	башню	дверь	экскурсию
gén	карты	башни	двери	экскурсии
dat	карте	башне	двери	экскурсии
instr	картой	башней	дверью	экскурсией
prép	карте	башне	двери	экскурсии

neutre	place	mer	temps	bâtiment
nom/acc	место	море	время	здание
gén	места	моря	времени	здании
dat	месту	морю	времени	зданию
instr	местом	морем	временем	зданием
prép	месте	море	времени	здании

PLURIEL

masculin			
nom/acc	театры	трамваи	автомобили
gén	театров	трамваев	автомобилей
dat	театрам	трамваям	автомобилям
instr	театрами	трамваями	автомобилями
prép	театрах	трамваях	автомобилях

féminin			
nom/acc	карты	башни	двери	экскурсии
gén	карт	башен	дверей	экскурсий
dat	картам	башням	дверям	экскурсиям
instr	картами	башнями	дверями	экскурсиями
prép	картах	башнях	дверях	экскурсиях

neutre			
nom/acc	места	моря	времена	здания
gén	мест	морей	времён	зданий
dat	местам	морям	временам	зданиям
instr	местами	морями	временами	зданиями
prép	местах	морях	временах	зданиях

Le *NOMINATIF* est le cas du sujet. Les mots dans le dictionnaire de ce livre sont donnés au nominatif.

L'*ACCUSATIF* est le cas du complément d'objet de la plupart des verbes :

> **мы хотим посетить картинную галерею**
> nous aimerions visiter une galerie d'art

Il est aussi utilisé après des prépositions qui impliquent le mouvement ou la direction (par exemple **в** à, vers, dans **на** vers, sur **через** à travers, par:

> **сегодня мы идём в театр**
> aujourd'hui nous allons au théâtre

GRAMMAIRE

Le *GENITIF* est le cas de la possession et peut se traduire par 'de' :

| квартира Наташи | l'appartement de Natacha |

Il est aussi utilisé après certaines prépositions (comme noté dans le dictionnaire) :

| номер без душа | une chambre sans douche |
| около вокзала | près de la gare |

Le *DATIF* est utilisé pour les compléments d'objet indirect avec les verbes qui impliquent le don ou l'envoi (qui correspond souvent à 'à' en français) et avec certaines prépositions :

| я послал письмо брату | j'ai envoyé une lettre à mon frère |
| по улице | le long de la rue |

L'*INSTRUMENTAL* est employé pour montrer comment une action est accomplie :

| мы приехали самолётом | nous sommes arrivés par avion |

et il est aussi utilisé après certaines prépositions et dans certaines expressions :

| чай с лимоном | thé au citron | утром | le matin |

Le *PREPOSITIF* est employé avec в dans, на sur/à, о/об à propos de :

| в ресторане | dans le restaurant | на рынке | au marché |

En russe, les *NOMBRES* déterminent aussi le cas auquel le nom va se mettre :

1 et tous les nombres se finissant en 1 (par exemple 71) sont suivis du nominatif singulier.
2, 3, 4 et tous les nombres finissant en 2, 3 ou 4 sont suivis du génitif singulier. Tous les autres nombres prennent le génitif pluriel :

21 час	21.00 heures
53 километра	53 kilomètres
17 (французких) франков	17 francs

Les exceptions sont 11, 12, 13 et 14 qui prennent le génitif pluriel.

Les *ADJECTIFS* s'accordent avec les noms auxquels ils se rapportent :

старый - vieux (la plupart des adjectifs se terminent en **-ый**)

	sing			*pluriel*
	m	f	n	
nom	**старый**	**старая**	**старое**	**старые**
acc	**старый**	**старую**	**старое**	**старые**
gén	**старого**	**старой**	**старого**	**старых**
dat	**старому**	**старой**	**старому**	**старым**
instr	**старым**	**старой**	**старым**	**старыми**
prép	**старом**	**старой**	**старом**	**старых**

это очень старый дом?
est-ce que cette maison est très vieille ?

GRAMMAIRE

Le *COMPARATIF* en russe se forme en plaçant les mots **более** (plus) ou **менее** (moins) avant l'adjectif et le nom :

> **какие блюда здесь более/менее острые?**
> quels sont les plats les plus/les moins épicés ?

Mais un certain nombre d'adjectifs courants ont des comparatifs irréguliers :

большой (grand)	**больше** (plus grand)
маленький (petit)	**меньше** (plus petit)
старый (vieux)	**старше** (plus vieux)
дорогой (cher)	**дороже** (plus cher)
дешёвый (pas cher)	**дешевле** (moins cher)

'Que' se dit **чем** :

> **почему эта икра дороже чем та?**
> pourquoi ce caviar est-il plus cher que celui-là ?

La manière la plus simple pour former le *SUPERLATIF* en russe se fait en plaçant l'adverbe **наиболее** devant l'adjectif et le nom :

> **наиболее близкая станция метро**
> la station de métro la plus proche

En russe, les *ADVERBES* se forment en remplaçant la terminaison de l'adjectif **ый** ou **ий** par **о** :

медленный lent	**медленно** lentement
тихий calme	**тихо** calmement

Les *ADJECTIFS POSSESSIFS* sont :

мой mon	**наш** notre
твой ton	**ваш** votre
его son, sa (*à lui*)	
её son, sa (*à elle*)	**их** leur

Il est probable que vous n'aurez besoin que des cas suivants:

	m	f	n	pluriel
nom	**мой**	**моя**	**моё**	**мои**
acc	**мой**	**мою**	**моё**	**мои**
gén	**моего**	**моей**	**моего**	**моих**
prép	**моём**	**моей**	**моём**	**моих**

nom	**наш**	**наша**	**наше**	**наши**
acc	**наш**	**нашу**	**наше**	**наши**
gén	**нашего**	**нашей**	**нашего**	**наших**
prép	**нашем**	**нашей**	**нашем**	**наших**

GRAMMAIRE

твой se décline comme **мой** et **ваш** comme **наш. его, её** et **их** ne se déclinent pas :

уберите вашу сумку, пожалуйста	enlevez votre sac s'il vous plaît
кто-то украл мою чековую книжку	quelqu'un a volé mon carnet de chèques
мы не видели их гида	nous n'avons pas vu leur guide

L'adjectif possessif peut être omis lorsque l'objet possédé est en relation directe avec le sujet de la phrase :

я оставил ключ в номере — j'ai laissé la clé dans ma chambre

Les *PRONOMS POSSESSIFS* (le mien, le tien etc) ont la même forme que les adjectifs possessifs.

PRONOMS PERSONNELS

nom		acc/gén	dat	instr	prép
я	je	меня	мне	мной	мне
ты	tu	тебя	тебе	тобой	тебе
он	il	его	ему	им	нём
она	elle	её	ей	ей	ней
мы	nous	нас	нам	нами	нас
вы	vous	вас	вам	вами	вас
они	ils/elles	их	им	ими	них

La troisième personne du singulier et les pronoms au pluriel prennent le préfix **н** quand ils sont précédés par une préposition :

это подарок для них — c'est un cadeau pour eux

Le mot **этот** (ce) s'accorde avec le nom qu'il précède :

	m	f	n	pluriel
nom	этот	эта	это	эти
acc	этот	эту	это	эти
gén	этого	этой	этого	этих
dat	этому	этой	этому	этим
instr	этим	этой	этим	этими
prép	этом	этой	этом	этих

перед этим магазином — devant ce magasin

Il y a deux grands groupes de *VERBES*. Au *PRESENT* ils sont :

	1ère conj читать (lire)	2ème conj говорить (parler/dire)
я	читаю	говорю
ты	читаешь	говоришь
он/она	читает	говорит
мы	читаем	говорим
вы	читаете	говорите
они	читают	говорят

GRAMMAIRE

Les verbes qui se terminent en **-ать** ou **-ять** se déclinent normalement comme **читать**.

Des exceptions courantes :

	слышать (entendre)	**спать** (dormir)	**ждать** (attendre)	**брать** (prendre)
я	слышу	сплю	жду	беру
ты	слышишь	спишь	ждёшь	берёшь
он/она	слышит	спит	ждёт	берёт
мы	слышим	спим	ждём	берём
вы	слышите	спите	ждёте	берёте
они	слышат	спят	ждут	берут

Beaucoup des verbes qui se terminent en **-ить** ou **-еть** se conjuguent de la même manière que **говорить**. Mais certains subissent une mutation consonantique à la première personne du singulier ou prennent un **-л** entre la racine et la terminaison :

	видеть (voir)	**любить** (aimer)	**платить** (payer)	**просить** (demander: une faveur)
я	вижу	люблю	плачу	прошу
ты	видишь	любишь	платишь	просишь
он/она	видит	любит	платит	просит
мы	видим	любим	платим	просим
вы	видите	любите	платите	просите
они	видят	любят	платят	просят

Noter quelques verbes irréguliers très courants :

	есть (manger)	**хотеть** (vouloir)	**пить** (boire)	**жить** (vivre/rester)
я	ем	хочу	пью	живу
ты	ешь	хочешь	пьёшь	живёшь
он/она	ест	хочет	пьёт	живёт
мы	едим	хотим	пьём	живём
вы	едите	хотите	пьёте	живёте
они	едят	хотят	пьют	живут

Le russe n'a pas d'équivalent du verbe *ETRE* au présent. On se contente de l'omettre :

> **я из Франции**   je suis français(e)

AVOIR se traduit en russe par la préposition **у** suivie par le nom du possesseur au génitif, et l'objet possédé au nominatif :

> **у меня один чемодан с собой**
> j'ai une valise avec moi

En russe, les verbes ont généralement deux aspects - l'imperfectif et le perfectif. (Ce livre vous donne les deux aspects si le verbe est courramment utilisé, et toujours dans l'ordre imperfectif/perfectif). L'*IMPERFEC-*

GRAMMAIRE

TIF est employé pour former les temps du présent et du passé progressif (exprimant la durée, la répétition). Le *PERFECTIF* est employé pour former les temps du futur et du passé accompli (quand une action a été accomplie).

Les deux formes du *PASSE* se forment en enlevant la terminaison -ть de la forme infinitive correspondante et en ajoutant les terminaisons suivantes à cette racine :
-л (masc), -ла (fém), -ло (neut) et -ли (pluriel).

Ainsi pour le verbe пить/выпить (boire) :

> раньше я пил кофе, а теперь пью только чай
> je buvais du café, mais maintenant, je ne bois que du thé

> вчера я впервые выпила стакан кваса
> hier j'ai bu mon premier verre de kvas

> выпьем за дружбу и мир!
> buvons à la paix et à l'amitié !

Là où le perfectif est formé simplement en ajoutant un préfixe à l'imperfectif (по-, на-, с-, вы- etc) le *FUTUR* peut être formé en ajoutant les terminaisons du présent à la racine du perfectif :

> думать/подумать   penser
> я подумаю об этом   j'y penserai

Certains verbes cependant ont des perfectifs complètement différents. On doit apprendre leurs conjugaisons par cœur :

	говорить/сказать (parler/dire)		брать/взять (prendre)	
я	скажу	(je dirai)	возьму	(je prendrai)
ты	скажешь		возьмёшь	
он	скажет		возьмёт	
мы	скажем		возьмём	
вы	скажете		возьмёте	
они	скажут		возьмут	

	давать/дать	(donner)	быть	
я	дам	(je donnerai)	буду	(je serai)
ты	дашь		будешь	
он	даст		будет	
мы	дадим		будем	
вы	дадите		будете	
они	дадут		будут	

Pour former le *NEGATIF* en russe, on ajoute **не** entre le sujet et le verbe :

> я не понимаю   je ne comprends pas

ou, dans une phrase qui veut dire 'ne pas avoir', employer **нет** :

> у меня нет денег   je n'ai pas d'argent (**нет** est suivi du génitif ici)